ÊTES-VOUS UN VRAI FRANÇAIS ?

DU MÊME AUTEUR

LE REFUS, Maspero, 1960.
L'ENGAGEMENT, Maspero, 1961.
L'ALGÉRIE DES ILLUSIONS, en collaboration avec Fadéla M'Rabet, Robert Laffont, 1972.
LE REFLUX, précédé d'un entretien avec Francis Jeanson, P. J. Oswald, 1975.
SAUVE QUI PEUT, DÉMOCRATIE À LA FRANÇAISE, Savelli, 1977.
VOTRE DÉSIR M'INTÉRESSE, enquête sur la pratique psychanalytique, Hachette littérature, 1982.
VOS ENFANTS NE M'INTÉRESSENT PLUS, Hachette littérature, 1983.
VOULEZ-VOUS VRAIMENT DES ENFANTS IDIOTS ?, Hachette littérature, 1984.
SAVEZ-VOUS QU'ILS DÉTRUISENT L'UNIVERSITÉ ? Hachette littérature, 1984.

MAURICE T. MASCHINO

ÊTES-VOUS UN VRAI FRANÇAIS ?

BERNARD GRASSET
PARIS

à mes grands-parents paternels, italiens
à Maman, Liouba Vladimirovna, russe
à Papilou, mon beau-père, suisse
à Fadéla, ma femme, algérienne
à Denis, mon fils, canadien
à Nadia, ma fille, française

Si je savais une chose utile à ma nation qui fût ruineuse à une autre, je ne la proposerais pas à mon prince, parce que je suis homme avant d'être français ou bien parce que je suis nécessairement homme, et que je ne suis français que par hasard.

MONTESQUIEU,
(Cahiers).

I

QUI NE VIENT PAS D'AILLEURS ?

La France n'a été fondée par aucun peuple particulier. Elle porte le nom d'un groupe germanique, parle une langue dérivée du latin... Elle fut inventée par une communauté de peuples. Plus que toute autre nation au monde, elle est un défi vivant aux déterminations ethniques et culturelles.

Hervé Le Bras, Emmanuel Todd,
(*l'Invention de la France*).

Une enfance russe

« Mavrik, ia zdies ! »

« Mavrik, je suis là ! » Gamin, je supportais mal que Mamaï, ma grand-mère, m'interpellât en russe, à la sortie de l'école ; et tout le long du chemin, je lui répétais : *« Tiché, ani nas slichat ! »* « Plus bas, ils nous entendent »... Mes petits camarades, chaque jour, me demandaient : « Mais en quoi tu causes ? » Loin d'être fier, j'avais honte : je n'étais pas comme eux.

Rentré à la maison, je me sentais bien : j'y retrouvais les miens, des Russes, et la Russie. Une Russie qui s'était exilée rue de Vanves, dans un vieil immeuble où vivaient de « petites gens » — *« prastié rabotchi »*, de « simples ouvriers », soupirait Mamaï, qui n'oubliait pas la cour de Saint-Pétersbourg où, jusqu'à l'arrivée des « bolcheviks », elle avait vécu, et dansé avec le tsar.

Souvent, le soir, quand elle avait fini de tricoter et surveillait, du coin de l'œil, si je faisais bien mes devoirs, elle feuilletait un vieil album de photos jaunies, les commentait à voix basse, puis, n'y tenant plus, finissait toujours par me prendre à témoin de son bonheur passé : « Regarde... là, j'avais dix-huit ans... Celle-là, à droite, c'est Tatiana... » J'admirais ces jeunes filles prêtes à faire la révérence : elles semblaient attendre, en souriant, un cavalier... J'aurais aimé être leur page : « Si nous étions restés, tu aurais pu », disait Mamaï... Régulièrement, elle s'attardait aussi devant la photo de Vladimir Petrovitch, son mari : presque chauve, l'air martial, un monocle sur l'œil droit, il m'impressionnait ; je ne le vis jamais : diplomate, colonel, il avait rejoint l'armée de Vlassov pour combattre les « Rouges »...

Autour de nous, qui formions comme un couple — Mamaï ne me quittait pas, sinon devant la porte de l'école, où j'entrais en pleurant —, se regroupaient, pour partager un *bortsch* bouillant, de la *kacha* noire ou de délicieuses *kotlietki*, les autres membres de la famille : maman, qui travaillait comme secrétaire aux éditions Armand Colin (elle avait appris le français avec un précepteur, à Saint-Pétersbourg, et dès son arrivée à Paris, à seize ans, avait pris un emploi), Baba — Babouchka —, mon arrière-grand-mère, une très vieille dame aux cheveux tout blancs, qui somnolait des heures entières dans un vieux fauteuil, près de la fenêtre de la salle à manger, et qui veillait, à table, à ce que j'apprenne les bonnes manières : *« Nié kouchaï tak gromko »* (« Ne mange pas si bruyamment ») ; je lui pardonnai son insistance : quand je me couchais, elle s'asseyait près de mon lit en chantant doucement, pour que je m'endorme en paix, quelques vieilles chansons russes — *Gil bil ou babouchki siérinki kozlik...* (« Il y avait une fois, chez une babouchka, un petit agneau gris... »).

Le dimanche, quelques amis proches nous rejoignaient : j'aimais beaucoup celui que j'appelais Diadia-pain — un monsieur très grand, très mince, le général Maltchevski, qui, en arrivant, baisait la main de Maman et de Mamaï, me donnait des petits pains au chocolat et, quelquefois, m'emmenait faire un tour dans son taxi... Mais je me cachais, quand sonnait Nina Petrovna, qui me demandait toujours de lui réciter les poésies que j'avais apprises à l'école...

Quand nous ne recevions pas, nous sortions : nous allions souvent chez un (autre) général russe, le général Boehm ; il vivait près de la place Clichy, dans un petit deux-pièces qu'occupait presque à lui seul un piano à queue : de longues heures durant, il nous jouait du Tchaïkovski, du Rakhmaninov ou du Chopin, pendant que sa compagne nous servait du *tchaï* — du thé — et, vers la fin de l'après-midi, des *zakouski*.

Lors des fêtes religieuses, j'accompagnais maman à la cathédrale orthodoxe, rue Daru : je n'*appréciais* pas beaucoup — il fallait rester debout —, mais les chants liturgiques et les litanies — *Gospodi pamili! Gospodi pamili!* (« Louanges à Dieu ! ») — me berçaient, comme m'intriguaient les allées et venues des popes, qui disparaissaient régulièrement derrière de mystérieuses petites portes... Et je me réjouissais de l'énorme (et savoureux) gâteau qu'au retour nous trouvions : un *koulitch* — une sorte de mouna que, la veille, Baba enfouissait sous un édredon, pour que la pâte levât.

Je ne mange plus guère de *koulitch* ni de *kacha*, je ne suis plus les rites de mon enfance (je ne baise plus la main des dames, je n'observe plus une minute de silence, assis, avant de partir en voyage, et maman, qui a aujourd'hui quatre-vingt-quatre ans, ne me fait plus de signe de croix sur le front, quand je m'absente quelque temps), mais la Russie ne m'a jamais quitté.

Aux contes de Baba ont succédé les fables de Krilov, aux *skaski* (aux histoires) de Mamaï les *Récits d'un chasseur,* de Tourgueniev, puis le *Héros de notre temps,* de Lermontov, *Enfance,* de Tolstoï, et les poèmes de Pouchkine... Écolier, j'allais chaque semaine chez le général Boehm, dont la compagne, entre deux concertos, m'initiait à la grammaire et à la littérature de mon pays ; adolescent, je suivis les cours de l'École des langues orientales — où enseignait un professeur remarquable, Pierre Pascal —, à Alger (j'avais trente ans), je préparai une licence de russe et, il y a six ans, fréquentai les cours du soir de l'association France-URSS. Moins pour apprendre que pour entendre parler, et parler. Et, dans ces échanges, retrouver un peu l'atmosphère familière (familiale) de mon enfance...

Même si je la manie moins bien que le français (surtout lorsqu'il s'agit d'une discussion abstraite), la langue russe reste ma langue — chaque soir, quand je téléphone à ma mère, nous parlons russe —, et tout ce qui touche à la culture russe me demeure très présent : à la maison, toute une partie de la bibliothèque — celle qu'on découvre en entrant... — est occupée par des auteurs russes et soviétiques ; j'aime flâner devant les rayons de la librairie Le Globe, rue de Buci, ou, plus volontiers, dans les librairies russes de la rue de l'Éperon et de la rue de la Montagne-Sainte-Geneviève, qui, avec leur fouillis, cette odeur de vieilles choses qui émane d'étagères surchargées de livres anciens, les icônes qui ornent les murs, me rappellent le milieu russe que j'ai connu autrefois — ces logements encombrés et désordonnés où, dans chaque recoin, je trouvais toujours quelque merveille...

Cette Russie que j'ai découverte peu à peu dans les livres, que j'ai aimée et qui me séduit comme par le passé, j'eus envie, très tôt, de la connaître. A la Libération déjà (j'avais quatorze ans), j'admirais les officiers soviétiques que j'apercevais dans le métro — leur casquette rouge, les larges épaulettes, cet air de héros (Stalingrad...) qu'ils avaient pour moi —, j'écoutais avec ferveur les chœurs de leur armée (Maman me gâtait en disques), et connaissais par cœur l'hymne soviétique (mais je fredonnais tout aussi bien — c'est le même air que le *God save the King* — *Boje, Tsaria khrani*, « Dieu protège le tsar »...).

Quand j'eus le bac, j'insistai pour partir en URSS ; maman s'y opposa absolument : « Il n'en est pas question ! Là-bas, c'est la misère noire... Si tu crois que tu vas manger des *kotlietki* tous les jours... Et puis, la Guépéou va t'arrêter : ils savent tout, ils découvriront vite que nous sommes des Russes blancs... » Que peut la raison contre un fantasme ? Provisoirement résigné, je me contentai de passer souvent, rue de Grenelle, devant les lourdes portes de l'ambassade soviétique, qui s'entrouvraient parfois pour laisser entrer une Volga, tous rideaux noirs tirés...

C'est beaucoup plus tard, et après un grand détour par le Maghreb, que je découvris le pays de mes ancêtres. A une époque où, comme tout homme de gauche raisonnable, je ne récitais plus Marx et Lénine de la même façon que, gamin, j'avais ânonné le catéchisme. J'avais lu *J'ai choisi la liberté*, de Kravchenko, les documents que David Rousset avait publiés sur les camps, *l'Homme révolté*, de Camus, *les Aventures de la dialectique*, de Merleau-Ponty... Je n'idéalisais plus l'Union soviétique, et c'était mieux ainsi : je vis (j'entrevis) la réalité comme elle était — les dures conditions d'existence, la lourde présence de la police dans la vie quotidienne (nous voyagions en voiture, Fadéla et moi, et, tous les trente kilomètres, sur les grands axes, nous étions contrôlés), la nonchalance ou l'arrogance des employés (au bar de l'hôtel Intourist, où nous demandions un express, la serveuse, qui me prit pour un *rabotnik*, un ouvrier russe, refusa de me servir), l'envie (« Combien coûte cette chemise ? »), l'alcoolisme et la corruption...

Mais si désagréables qu'aient été ces constats, je ne fus pas déçu : un pays ne se réduit pas à un système, et le politique entame peu, s'il les entame, des manières d'être, de sentir et de faire que les siècles ont façonnées. Si bien que je retrouvai vite des comportements que j'avais connus autour de moi, et ne me sentis pas à l'étranger.

J'eus même l'impression (je l'éprouve à chaque voyage) que je renouais avec mon passé, que j'étais en quelque sorte dans ma famille — une famille réhabilitée, puisque le russe n'était pas condamné à la clandestinité ou à l'exil, qu'il ne se réfugiait pas dans quelques îlots perdus au milieu de l'indifférence (ou de la suspicion) générale, mais que tout le monde le parlait ; ce n'était plus seulement le russe de Mamaï et de Maman, de Diadia-pain et de Nina Petrovna — le russe de la maison, des cajoleries et des gronderies, auquel s'opposait le français (noble) de l'école et de la vie publique —, c'était une langue sortie de son ghetto, qui bruissait autour de moi, parfois enflait, éclatait dans un appel — *Sa-cha!* — ou explosait dans un juron, langue souveraine, qui s'affichait à la *une* des journaux, s'étalait à la vitrine des magasins, brillait, en lettres d'or, au-dessus de la porte d'entrée du mausolée — ЛЕНИН. Langue qu'au début j'utilisai avec timidité — allait-on me comprendre? n'avais-je pas un accent? — puis sans réserve et joyeusement, lorsque, pour convaincre un policier que je n'étais pas russe (il voulait, pour faute de conduite, me dresser un procès-verbal et m'injuriait copieusement), je dus montrer mon passeport...

Les premiers contacts étaient souvent rudes, qu'on me prît pour un Soviétique (dès lors, pourquoi s'excuser, si on le bousculait?) ou, à cause de mes vêtements, pour un étranger (« Méfions-nous »); mais dès que la glace était brisée — elle se brisait très vite: il suffisait de quelques mots —, je découvrais une simplicité (une authenticité) dans les échanges que j'ai rarement connue en France. Rencontrés le plus souvent dans les parcs de Moscou ou de Leningrad, mes interlocuteurs — que je ne cherchais pas à provoquer ni à gêner par des questions politiques — me parlaient volontiers d'eux-mêmes et, s'ils manifestaient, dès les premiers moments, une curiosité qu'en Europe on aurait jugée déplacée (depuis quand étais-je marié? Combien gagnions-nous?), ils n'étaient pas avares de confidences — à Samarkand, deux jeunes femmes me racontèrent leurs malheurs sentimentaux et m'adjurèrent de leur trouver un mari français... Quand nous nous quittions, ils m'offraient souvent quelque souvenir : un insigne, qui n'était pas nécessairement un médaillon de Lénine, un livre, ou des fruits, s'ils revenaient du marché...

Cette chaleur — qui s'appelle aussi désintéressement, générosité, hospitalité —, je la retrouvais chez Stanislas et Nina, mes professeurs d'Alger, que je revis souvent à Moscou. Nous arrivions généralement à l'improviste (ce qui ne choquait pas) et, quelle que soit l'heure, ils apportaient bientôt toutes sortes de plats — *zakouski, blini, pirojki*... —, nous chargeaient de cadeaux à notre départ, s'inquiétaient de savoir si nous n'avions pas besoin d'argent...

Stanislas, Nadia, Natacha, Vladimir... : près d'eux, je me sentais des leurs — comme, me promenant dans les vieux quartiers de l'Arbat ou sur les quais de la Neva (où je me récitais le célèbre poème de Pouchkine sur la *Ville de Pierre*), je me sentais dans des lieux familiers. Très proche de tous ceux que je côtoyais. Ne les regardant bientôt plus comme des Russes, ne les percevant plus dans leur différence nationale, ou globale, de l'extérieur, mais, de plus en plus, comme des personnes singulières, attentif à un visage ou à un regard, essayant, à partir d'un signe — soupir, sourire, détail vestimentaire... — de deviner une vie. Comme on le fait tous les jours dans le métro, à Paris. Chez soi.

Chez moi ? J'y étais sans y être, bien sûr, et je sais bien — même si j'eus envie, à plusieurs reprises, de vivre quelques années là-bas, comme correspondant du *Monde* ou enseignant — qu'assez vite les rigueurs de la vie quotidienne, les tracasseries administratives et l'absence des libertés qui nous sont naturelles réveilleraient mes nostalgies parisiennes.

Mais d'être allé en Union soviétique, de m'être mêlé à de « vrais » Russes et d'avoir moi-même existé comme Russe à visage découvert m'a réconcilié avec mon enfance — avec toute cette partie de mon être condamnée, ici même, à exister en sourdine ou au rabais, sinon à se justifier d'exister — et m'a permis en même temps d'échapper à cette sorte de clivage, combien traumatisant et stérilisant, que toute société tente d'imposer à ses membres : *ou vous êtes d'ici, ou vous êtes d'ailleurs...*

Faux dilemme : les attaches qu'on peut avoir ici ne sont pas exclusives d'autres liens, et il est même probable que la diversité des enracinements rend chacun d'eux plus solide, ou plus vrai : on est d'autant plus à l'aise dans l'un de ses pays qu'on l'est dans l'autre, ou dans les autres (ma mère est russe, mes grands-parents paternels sont italiens), on est d'autant plus ouvert à autrui qu'on accepte cet autre qu'on porte en soi cette altérité fondamentale, qu'elle ait ou non un support national, qui est au cœur de chacun.

Et si Le Pen était arabe ?

Si l'histoire qu'on raconte n'était pas une légende, si les enfants n'apprenaient pas que leurs ancêtres sont des Gaulois, « de taille moyenne, cheveux châtains, yeux noisette[1] »(!), peut-être admettraient-ils sans peine, devenus grands, que ceux qui ont des cheveux blonds, noirs ou crépus, des yeux bleus ou marron font aussi partie de leur famille, comme des cousins ou des nièces.

Faut-il préciser, en effet, qu'il n'y a pas de race française, pas plus, note l'historien Pierre Miquel, qu'il n'y a de climat français ?

« Les peuples, écrit-il, ont rarement traversé notre territoire sans se fixer peu ou prou, sans se mêler d'une manière ou d'une autre à la population locale.

Il y a les (montagnards) qui ne sont pas toujours originaires de leurs montagnes, mais qui constituent, dans leurs villages élevés, les témoins d'antiques invasions. Des peuples marins venus d'Orient ont fait souche jusque dans les hauts plateaux du Centre. La Bretagne et la Normandie sont occupées par des peuples venus du nord de l'Europe, à une époque plus ou moins lointaine. Les gens venus de l'extrême Asie se sont fixés un peu partout.

« La diversité du peuplement a pour effet une grande bigarrure des types physiques qui composent la population française. Il n'y a pas de Français-robot... Ouverte aux quatre vents, la France a toujours accueilli sur son sol la vague amortie des invasions, et la vague sans cesse renaissante des migrations[2]. »

« Si l'on remonte à la quatrième génération, me dit le démographe Hervé Le Bras, près de 45 p. 100 de nos compatriotes ont une origine étrangère. »

De ces multiples mélanges, des scientifiques ont apporté récemment une preuve manifeste[3]. En analysant le sang de Français installés depuis au moins un siècle dans des régions très éloignées des grands courants migratoires, ils ont trouvé, au niveau des chromosomes, des marqueurs génétiques beaucoup plus répandus dans d'autres parties du monde ; ainsi a-t-on découvert dans le sang breton des marqueurs dont la fréquence est plus grande au Maghreb qu'en France : il se peut fort bien que Jean-Marie Le Pen ait des ancêtres arabes...

Le délire biologique

N'est-ce pas une évidence ? Qui parle encore, aujourd'hui, en termes de race et de sang ? Le biologisme n'est-il pas dépassé ? On pourrait croire que oui. Force est de constater que non. Et que les mêmes inepties qu'hier ont toujours cours. Atténuées ou déguisées, sans plus.

Certes, on ne prétend plus, comme le docteur Barillon, ou plus aussi ouvertement, qu'il y a une « hiérarchie des races » : « C'est dans la pureté de la race que résident les éléments essentiels de la conservation des peuples... Les croisements avec les races hostiles ont pour effet de dissocier les caractères héréditaires et d'en provoquer la dégénérescence. Il convient donc de protéger la race contre les immixtions étrangères et de s'opposer aux croisements avec les individus de race inférieure ou antagoniste[4]. »

On ne le déclare plus aussi crûment, sauf au Front national : « Dans ce monde où il existe des races différentes, des ethnies différentes, des cultures différentes, je prends acte de cette diversité et de cette variété », écrit J.-M. Le Pen, qui poursuit : « Je ne peux dire que les Bantous ont les mêmes aptitudes ethnologiques que les Californiens. Les citoyens sont égaux en droit, pas les hommes[5]. »

On n'affirme plus, comme Jean Pluyette, ou plus aussi brutalement, que « l'inégalité des civilisations repose sur une inégalité naturelle..., (qu') on doit reconnaître à une certaine race, la race nord-européenne, des qualités naturelles d'énergie et des aptitudes spéciales au commandement[6] ».

On hésiterait à soutenir publiquement, comme Alexis Carrel, que « les prolétaires doivent leur situation à des défauts héréditaires de leur corps et de leur esprit... (que) l'inégalité a une base biologique profonde[7] ». Et il est rare qu'un représentant de la droite centriste s'exprime dans les mêmes termes qu'un chroniqueur du *Temps* : « Notre unité nationale n'aurait-elle pas à souffrir de cet énergique mélange des races[8] ? » demandait-il. Assurément, répond, cinquante ans plus tard, V. Giscard d'Estaing : « Notre identité est menacée, parce que notre population est en nombre fixe, ou même légèrement déclinant. »

Sans doute l'ancien président de la République, qui s'exprimait ainsi dans un numéro de juin 1986 de *Valeurs actuelles*, était-il encore sous le coup de cette description apocalyptique de la France en l'an 2015, qu'on put lire dans *le Figaro-Magazine* du 26 octobre 1985.

A en croire ce scénario de terreur, la population française aurait alors perdu 5 200 000 individus, tandis que la population étrangère non européenne en aurait gagné autant. Ce *sera* (car le texte passe allègrement du conditionnel au futur) la « débâcle », « nos valeurs culturelles (seront) balayées..., le plus démocratiquement du monde, ils s'empareront d'un coup de villages, de quartiers, de villes, de départements, voire même de régions entières... Ce sera l'émeute... Deux millions de personnes dans la rue pour exiger l'école libre musulmane... La France multiraciale sera devenue multiraciste ». Autant, pour *le Fig. Mag.*, qu'elle soit raciste à sens unique !

Pareil délire (car de tous les scénarios élaborés par l'équipe du démographe Georges-François Dumont, le magazine n'a retenu, me dit un autre démographe, Jacques Dupaquier, que « la projection la plus folle..., les hypothèses les plus insoutenables »), pareil délire est quand même assez exceptionnel : d'ordinaire, on se contente, comme Giscard d'Estaing, de parler de « menace ».

On évite également d'ironiser sur les noms à

consonance étrangère, on ne « s'amuse » plus, par exemple, à traduire *Léon Blum* par *Léon Lafleur*, ou *Schwein* par *Cochon*, et l'on ne dit plus que k, z, w, y sont, à cause de leur fréquence, des « lettres juives[9] ». On *s'abstient*, excepté les amis de J.-M. Le Pen : « Comment ne pas observer qu'à notre télévision... il y a bien plus de MM. Aron, Ben Syoun, Naoul, El Kabbach, Drücker *(sic)*, Grumbach, Zitrone, que de MM. Dupont ou Durand[10] ? »

On ne fait guère référence, enfin, à l'« esthétique », comme Jean Giraudoux : « (Les étrangers) embellissent rarement la France par leur apparence personnelle[11]. » On est plus convenable, excepté J.-M. Le Pen : « Vous n'ignorez pas, déclare-t-il à Pierre Mendès France en 1958, que vous cristallisez sur votre personnage un certain nombre de répulsions patriotiques et presque physiques[12]. »

De Maurras au Front national

C'est donc principalement à l'extrême-droite que se poursuit aujourd'hui le discours biologique du XIXe siècle. Un Bruno Mégret, député du Front national, a beau reconnaître qu'« il n'y a pas de race française », il le reconnaît du bout des lèvres, car il ajoute : « Toutefois, il est clair que les Français sont des Européens. Même s'il y a des Français de couleur (les Antillais, par exemple), cela ne joue que de façon marginale*. »

Nul doute que, pour lui, ces Français-là appar-

* Toutes les personnes citées ont été interviewées en septembre et octobre 1987.

tiennent à ce que Charles Maurras appelait « la périphérie adventice » — les « métèques » —, qu'il distinguait absolument du « noyau organisateur »... De fait, B. Mégret ne dit pas autre chose, quand il évoque, peu soucieux de « pureté » linguistique, « le noyau dur de l'identité française ». Y a-t-il des noyaux « mous » ? Songe-t-il, par exemple, à « ces êtres visqueux comme des poulpes, mous comme des éponges, (qui), selon *l'Action française*, ne rendraient, si on les pressait, que du pus[13] » ?....

Si l'on excepte les régions frontalières, où « l'appartenance à la nation est plus floue » (B. Mégret), les zones côtières, ouvertes à tous les vents et à tous les « miasmes », les centres industriels, complètement « pollués », où trouver « le cœur du noyau dur » — qui, décidément, semble obséder B. Mégret —, sinon dans les gènes des super-Blancs de l'hexagone ? « A la naissance, poursuit le député du Front national, on a déjà une identité génétique. »

Si l'on entend par là des déterminations héréditaires propres à tout être humain, et qui le singularisent comme individu (taille, couleur des yeux...), c'est une lapalissade ; mais si l'on veut dire *identité génétique française*, c'est une absurdité : recueilli dès sa naissance par le Djihad islamique, et élevé pieusement à l'ombre d'une mosquée iranienne, le mollah Mégret prêcherait peut-être, aujourd'hui, la guerre sainte contre l'Occident.

L'obsession des origines

Si les porte-parole de l'extrême-droite sont à peu près les seuls à faire mention de « données ethniques », il n'en reste pas moins que l'idéologie sous-jacente à leur discours est encore très largement répandue. C'est le style, c'est la forme qui ont changé, la « pensée », elle, perdure, signe et persiste, à peu près identique.

On parle couramment, par exemple — c'est même l'expression consacrée ! — de « deuxième génération ». Ce faisant, on définit un groupe humain par sa lignée, son lignage, sa généalogie, c'est-à-dire, en dernier lieu, par son ascendance génétique. Exactement comme les nobles, qui, faute de connaître les gènes, invoquaient la qualité de leur sang. Ouvrons le *Petit Robert* : « Généalogie... I. Suite d'ancêtres qui établit une filiation (V. ascendance, descendance, famille, filiation, lignée, *race*)... Par extension, généalogie d'un pur sang, d'animaux de race. V. pedigree. »

Chiens de race, comtes et marquis ou Beurs, à vos gènes ! A cette différence près que les uns se situent quelque part, très haut, sur leur arbre généalogique, alors que les autres, au ras du sol et des utérus vulgaires, ne sont que matière animée, ou animale. *Deuxième génération* : pourquoi pas *deuxième portée* ? Quand l'écrivain André Figueras déclare, dans un meeting d'extrême droite, en 1983, que les immigrés « se reproduisent comme des lapins[14] », il ne fait rien d'autre qu'exprimer de façon outrancière — caricaturale — la vérité objective du discours actuellement dominant.

Deuxième génération, générer, engendrer, géniteur... c'est, ici et là, la même vision « animalisante »-biologisante d'êtres humains assimilés à des mammifères : des *boucs, bicots, ratons* d'hier à la *deuxième génération* (de *boucs, bicots, ratons*, naturellement), quelle différence ?... Que les démographes, toutes populations confondues, parlent de *taux de natalité*, de *fécondité*... ne change rien à l'affaire : pour eux, les hommes sont-ils autre chose que des lapins ?

Très significative, également, cette façon — cette manie — de mentionner à tout propos l'origine d'une personne. Ce n'est jamais neutre, encore moins flatteur, c'est toujours — au moins implicitement — péjoratif. On ne dit pas : « le Français d'origine camerounaise Yannick Noah... le Français d'origine algérienne Tarik Benhabilès » — ils sont français à part entière, et c'est très bien. Qu'on flatte ainsi le chauvinisme national, ou qu'on réconforte un public à qui, pour une fois, on n'annonce pas une défaite, pourquoi pas ? Il retiendra peut-être, aussi, qu'on peut s'appeler *Tarik* et être français...

Mais dès qu'un malfaiteur est arrêté, on insiste sur son origine : le tueur des vieilles dames, dans le XVIIIe, est antillais... Même lorsque l'expression n'a aucune intention dévalorisante, elle est toujours discriminatoire : elle isole dans la population globale un groupe dont elle souligne la provenance, le rendant par là même suspect, disant, sans le dire, qu'il existe deux sortes de Français. Ce qui pourrait n'avoir qu'un sens ethnologique, ou géographique, si l'on indiquait systématiquement l'origine de chaque Français (les Français d'origine auvergnate... les Français d'origine bordelaise...) ne peut prendre qu'un sens objectivement raciste, quand seuls les Français d'origine étrangère sont ainsi qualifiés. Et quand, parmi eux, on *vise* surtout (le mot est clair...) les Maghrébins.

Non, les Français-musulmans ne sont pas des Français comme les autres — qu'on n'appelle pas

Français-chrétiens : souligner leur confession (c'est-à-dire, en fait, leur « race »), c'est déjà les montrer du doigt. A l'époque coloniale, ces sujets français — qui n'étaient pas citoyens — ne bénéficiaient d'aucun droit civil ni politique ; aujourd'hui, les ex-harkis ne sont que théoriquement citoyens : pratiquement, ils restent dans les marges, et les bas-fonds, de cette société.

S'appelle-t-on Roger *(Raja')* Garaudy, ou Jacques *(Mansour)* Vergès, on est français *et* musulman : cela passe pour une marque d'originalité, ou de l'opportunisme ; s'appelle-t-on Ahmed Ben Mohamed, on est *français-musulman*, et c'est une tare. Les pouvoirs publics, qui emploient constamment cette expression, les médias, qui la reprennent à leur compte et la propagent, contribuent, même sans le vouloir, à renforcer la perception ségrégationniste que la société française a d'elle-même. Il est inutile de traverser l'Afrique pour rencontrer l'apartheid : il commence à Paris.

Profondément antidémocratique et inégalitaire (car l'esprit démocratique s'interdit de nommer l'origine : un Français est un Français, un Français comme un autre n'a pas d'origine), cette référence constante aux ancêtres (qui rejoint en droite ligne la « pensée » lepéniste : « Il faut nous ressourcer », répète B. Mégret) est en outre profondément mystificatrice : à ceux dont elle ne mentionne pas l'origine, elle suggère qu'ils n'en ont pas. Qu'ils sont où ils sont, et comme ils sont, de toute éternité. A la limite, des dieux, puisque Dieu est l'être incréé. On serait chauvin à moins !

Y a-t-il expression plus sotte, plus trompeuse, que

ce « Français de souche », qui revient trop souvent ? Français hors du temps, Français d'avant la France, déjà là avant Clovis, Hugues Capet, Charlemagne, et attendant déjà, de pied ferme, les Maures et autres Sarrasins, pour les bouter hors du royaume. Ayant bien un lointain, très lointain ancêtre, mais un ancêtre national, l'homme de Tautavel et de Cro-Magnon, pas Lucy l'étrangère, Lucy l'Africaine[15] ! Purs de tout mélange. Et traversant les siècles en s'autorecréant. Sans pères ni mères. Sans origines. *De souche !*

De souche ? Allons donc ! On sait depuis longtemps (depuis Darwin, au moins) que toute « souche » humaine est importée. Que tout être vivant vient d'ailleurs — souvenir ou témoin d'une migration, d'une invasion... Que tout Français — et pas seulement les Maghrébins, les Antillais... — est un Français d'origine étrangère. Tel un voyageur amnésique, qui ne se rappelle pas à quelle station il est monté dans le train et proclamerait qu'il y est né, un « vrai » Français est un Français qui a oublié, ou n'a jamais su, d'où il vient. Une sorte d'illuminé, qui se croit auto-engendré :

« Tous ceux qui ont observé la dynamique d'un groupe restreint, écrit le psychologue Bernard Lorreyte, ont été confrontés à l'émergence de cette illusion où le groupe se perçoit comme homogène et autosuffisant... Fantasmes de parthénogenèse, qu'illustre bien le mythe du Phénix. Remarquons au passage que cela constitue l'ingrédient fantasmatique essentiel de toute idéologie raciste : l'idée d'une pureté de la race présuppose en effet l'idée plus ou moins fantasmatique d'un auto-engendrement[16]. »

Le passé assumé

Si tous les Français viennent d'ailleurs, est-il sensé que ceux qui l'ont oublié reprochent aux autres de s'en souvenir, d'être attachés à cette partie d'eux-mêmes qui vit encore, et de la cultiver ? Une personne est d'autant plus équilibrée qu'elle a le sentiment de sa propre continuité — et qu'elle reste elle-même à travers toutes les péripéties de sa vie. Le moi se construit par adjonctions successives, intégration et dépassement de multiples expériences ; les premières, celles de l'enfance, constituent en quelque sorte les sédiments sur lesquels de nouvelles se déposent — les unes rendant possibles les autres, qui en retour les transforment... Dialectique permanente, jusqu'à la fin, quand la mort, comme dit Sartre, fait de la vie un destin...

Il n'est pas de personne (ni de peuple) sans mémoire, pas de présent cohérent ni d'avenir maîtrisable sans passé assumé. Librement reconnu et accepté. Chacun le sent bien, qui s'efforce de mille et une façons d'« arrêter » le temps, ou d'en conserver quelques vestiges : photos, objets qu'on rapporte d'un voyage, vieilles lettres, journaux intimes, agendas, souvenirs... — autant de repères auxquels nous tenons, qui nous assurent de la réalité de notre existence (et nous rassurent : « Je ne l'ai pas rêvé, je l'ai bien vécu, je l'ai fait »), nous apaisent, quand le présent est douloureux, ou nous incitent à *entreprendre*, par les succès et les bonheurs qu'ils nous rappellent.

Facteur d'équilibre, source de vie, condition de notre épanouissement, la conscience que nous avons de notre histoire nous permet de mieux nous adapter au présent, éventuellement, de mieux résister à ses ruses ou à ses coups.

Un prénom, une histoire

Je ne le formulai pas en ces termes, je ne « théorisai » pas, quand je quittai l'Algérie pour me réinstaller en France, en 1971, mais ce fut bien ainsi que, spontanément, je réagis : en manifestant *ici*, de diverses façons, que j'étais encore de *là-bas*. En signifiant — et à mon propre usage mythique, d'abord : ce n'était pas une provocation — que, vivant à Paris, je n'oubliais pas l'Algérie.

Cette Algérie que j'avais tant idéalisée durant sa guerre de libération, où je m'étais enraciné (je m'y étais marié, j'y avais trouvé une nouvelle famille, sans parler d'une deuxième nationalité, acquise en 1963), je ne la reniais pas, je l'emportais avec moi dans ce que je vécus, au début, comme un exil. J'éprouvai donc, très fortement, le besoin de l'affirmer par quelques conduites symboliques.

Par exemple, en mentionnant, sur la couverture de mes livres ou en bas de mes articles, l'initiale — T. — de mon prénom arabe, *Tarik*. Auquel je tenais, et tiens toujours, pour trois raisons au moins : il me rappelle mon mariage avec Fadéla (c'est alors que je l'adoptai), mes années marocaines (quand j'enseignai au lycée Tarik-Ibn-Zyad à Azrou, dans le Moyen-Atlas, et commençai à lutter contre le colonialisme), la poursuite et l'approfondissement, en Algérie, de mon expérience maghrébine : pour la famille de Fadéla, mes camarades et mes amis algériens, je suis Tarik. Et même pour un ami français, le seul qui ait jamais pris au sérieux cet engagement existentiel (les autres le réduisant à ses dimensions politiques, sinon folkloriques !), Pierre-Jean Oswald...

Peu après notre arrivée, je tins aussi à me faire immatriculer au consulat d'Algérie. Conduite magique, en un sens, puisqu'en France je suis français. Mais je ne ressentais pas (et ne ressens toujours pas) cette appartenance comme exclusive d'une autre, comme je ne voyais pas (et ne vois toujours pas) pourquoi d'être français aurait dû (devrait) m'empêcher de vivre ce que je suis par ailleurs — ce qu'une enfance russe m'a donné, ce que l'Algérie m'a apporté. Refuser d'être moins, essayer d'être plus : c'est toujours ainsi que j'ai réagi. L'appartenance à deux (ou trois) communautés m'apparaît comme une source d'enrichissement (affectif, intellectuel, social), l'appartenance à une seule, comme une marque de pauvreté — trop souvent, elle borne l'horizon, fausse les perspectives, rend plus difficile toute distanciation à l'égard de soi-même, de ses jugements et de ses normes, elle exacerbe les passions les plus sottes, parfois les plus meurtrières...

Tel que mon histoire m'a fait, pareil huis clos me serait insupportable. L'altérité est au cœur de mon identité — *je est un autre* — et je ne peux demeurer quelque part qu'à condition d'en pouvoir sortir ; sinon, je me sens prisonnier, et prépare sur-le-champ quelque plan d'évasion. Je n'ai pas toujours mon passeport (mes passeports) en poche, comme Bernard-Henri Lévy, mais la liberté d'aller et venir est à mes yeux fondamentale, comme la possibilité de m'établir, demain, sous d'autres cieux. Si la porte se referme, si j'ai l'impression que je vais être condamné à mariner, avec les mêmes autres, dans les mêmes eaux troubles, et vite nauséabondes, de je ne sais quelle « spécificité nationale », je m'échappe.

En me rendant au consulat (où je fus très sympatiquement reçu), j'évitais cette angoisse de claustration, je gardais ouverte l'une des portes de ma vie ; l'un des lieux que j'aimais, comme d'autres — comme Paris, comme le Quartier latin — me restait accessible. Ma démarche s'inscrivait dans une logique de complémentarité, d'acceptation positive de mes différences, et non pas d'exclusion. D'avoir en main des « papiers » — une carte d'immatriculation, une nouvelle carte, verte, d'identité, s'ajoutant à ma carte jaune — me gratifia.

Pour atténuer le choc de la séparation, je fis également ce qu'on fait souvent dans pareilles circonstances : je me réfugiai dans les mots, et avec des mots recomposai l'histoire que je venais de vivre[17]. La revivant, à un autre niveau. Ainsi écrit-on une lettre à un ami lointain. Pour combler l'absence. Il est vrai que cette « lettre » déplut : le régime algérien la lut comme un pamphlet. Au lieu d'y voir l'expression d'une tendresse exigeante : si nous critiquions le régime de Boumediene, c'est parce que l'Algérie, à laquelle nous demeurions attachés, méritait beaucoup mieux. L'histoire le confirma.

C'est par attachement, encore, à ce passé, et parce qu'il n'est pour moi, en aucune façon, dépassé, que, depuis quelques années, nous habitons Montmartre. Les vieilles rues qui montent vers la place du Tertre (et le nom même de notre rue : rue des Martyrs, qui me rappelle la place des Martyrs, à Alger, ou les *chouhada*, les martyrs de la guerre), les escaliers, si raides, que dégringolent en criant des gamins, les ruelles où errent des chats... — ce décor évoque un peu certains quartiers d'Alger (du côté du marché Clauzel) et de Skikda.

Comme la population elle-même, largement maghrébine dans le XVIIIe. Beaucoup ne l'apprécient pas, se méfient, ont peur et nous demandent, en n'osant pas dire exactement pourquoi, si nous n'envisageons pas, un jour, de changer de quartier... Certainement pas ! Je me sens parfaitement à l'aise parmi tous les Maghrébins qui m'entourent, boulevard de Clichy ou boulevard de Rochechouart, je me réjouis d'entendre parler arabe, de déguster des yeux, derrière les vitrines des boulangers-pâtissiers, des *makrouds*, des *zlabias* ou des cornes de gazelle, d'évoquer, avec un épicier, Djerba, Tizi Ouzou, le M'zab ou Tabarka, et d'apercevoir, dans le métro, les belles robes colorées des Africaines, des boubous, des djellabas...

Situé au dernier étage d'un vieil immeuble, notre appartement lui-même est le reflet de notre histoire : déjà, dans l'escalier, de grandes affiches — des paysages marocains, surtout : la mer, un douar du sud, l'intérieur d'une mosquée... — « préviennent » le visiteur qui, en entrant, est prié, s'il n'y songe pas lui-même, d'enlever ses chaussures (seuls les Nordiques, les Suisses, les Autrichiens se plient volontiers à cette règle d'hygiène ; un Français déchaussé réagit comme un Français castré ! Réaction de paysans qui, autrefois, gardaient leurs bottes, même au lit ?).

Les tapis, partout présents — tapis algériens, marocains — sont notre seule « richesse ». Et, pour moi, une jouissance constante : j'aime, sous les pieds, sentir leur chaude épaisseur, m'y étendre, pour faire la sieste, pour lire, ou m'y asseoir, quand vient un ami (qui peut, s'il est vraiment « coincé » dans ses traditions hexagonales, trouver place dans l'un des deux fauteuils, qui ressemblent d'ailleurs à des poufs).

Sur les tapis, sur le lit, recouvert d'une belle couverture kabyle (blanche à rayures bleues), dans tous les angles, des coussins. Sur les murs, tout blancs — le blanc du Maghreb, de la Grèce, de l'Espagne —, toutes sortes d'objets, que nous avons rapportés de nos voyages : une vieille glace marocaine, dans un cadre de bois ciselé, un poignard de Damas, de petites « tapisseries » colorées, en laine, telles qu'on en trouve dans les douars du Maghreb, des céramiques, offertes par des amis russes ou yougoslaves.

Sur la cheminée, le long des murs, des statuettes africaines, des pierres du Sahara, des poteries de Rabat, d'Azrou, de Tamanrasset. Au milieu du séjour, un grand plateau en cuivre et, près de la fenêtre, un autre plateau, doré, où l'on sert le thé. La vaisselle elle-même est tunisienne, ou russe. Seuls les livres, sur les étagères, rappellent que les occupants ont quelque lien avec la culture française...

Comme tous les « immigrants », d'où qu'ils viennent, nous avons reconstitué notre univers familier, qui perdure aussi dans notre alimentation. Grâce à Zoulikha, une sœur de Fadéla, qui habite Saint-Denis et nous apporte régulièrement des *tadjines*, de la galette qu'elle confectionne elle-même, de la tamina, toutes sortes de gâteaux... Grâce un peu, aussi, à Fadéla, qui, de temps à autre, renoue avec les traditions de sa mère et de sa grand-mère, prépare une chorba ou un couscous, ou me fait absorber, ainsi qu'à notre ami Roland, de petites graines « magiques », qui nous protègent, paraît-il, de toutes les maladies...

Si ma réadaptation en France se fit sans trop de déchirements, c'est parce que je réussis à sauvegarder mon moi algérien, pendant que celui d'ici, peu à peu, se réinsérait : j'écrivis un autre livre sur mon retour *(le Reflux)*[18] et commençai à collaborer au *Monde diplomatique*...

Des couleurs, des odeurs, des saveurs. De la *kacha* plutôt que du riz, ou de l'huile d'olive plutôt que l'huile Lesieur. Une certaine façon de se maquiller, de porter des tresses ou de se teindre les cheveux au henné. Un accent. Des prénoms qu'on préfère à d'autres : « polonais », et conseiller de Pierre Mauroy, Bernard Roman appelle ses enfants Boris et Dimitri, Tahar Ben Jelloun, tout en souhaitant que sa fille, née en France, ait un jour un passeport français, l'appelle Myriem...

C'est par ces mille petits détails, ces goûts, ces choix, qu'un moi s'accepte, s'affirme et s'y retrouve. S'évitant ainsi d'exprimer par quelque trouble du corps (ulcère, asthme, migraines...) ou quelque désordre de la conduite, ce mal-être qui s'empare de tout un chacun, quand il n'ose pas (ne peut pas) être lui-même, et qu'il joue (mal : personne n'est dupe) à être un autre. Les particularités individuelles, comme les particularismes régionaux ou communautaires, étonnent, choquent, ou passent pour du folklore. A tort : ce sont autant de garde-fous d'un moi (d'un nous) qui, sans eux, se disloquerait.

Assumer ses différences, vivre sans exclusive ses diverses appartenances, et sans honte son « étrangeté », lorsqu'on est français, ce n'est pas seulement l'une des conditions de l'équilibre personnel, c'est aussi un facteur d'enrichissement pour la collectivité nationale : loin de lui renvoyer son image (quel profit ?), on contribue, si peu que ce soit, à son renouvellement ; se hâte-t-on, au contraire, de se conformer, de « s'adapter », on lui porte tort, même si, dans un premier temps, on flatte son narcissisme.

Sur la page de garde de son livre, *les Immigrés, métèques ou citoyens ?*[19], Paul Oriol le dit très bien : « Mon grand-père, ouvrier agricole, parlait espagnol, français et occitan. Je suis médecin, je ne parle ni espagnol ni occitan. Je ne vois pas ce que la France a gagné dans cette évolution, je vois bien ce que j'y ai perdu. »

Maryse, l'exemplaire

Maryse T. a eu la chance de ne rien perdre : à l'entendre raconter sa vie, on est frappé par l'unité qu'elle manifeste. Comme si une même attitude de base, fondamentale — sa fidélité au judaïsme, au parti communiste, à « une certaine France » — orientait toutes ses démarches.

On aurait pu la croire mal partie, lorsqu'à trois ans, en 1948, elle arriva en France avec sa famille : l'administration les enregistra comme « apatrides d'origine indéterminée ». Pourtant, cette origine n'avait rien de mystérieux : Maryse est née au Caire, dans une famille juive ; mais ses parents et ses grands-parents — nés, au hasard des pérégrinations marchandes, en Angleterre, en Syrie, en Algérie, puis établis dans une Égypte encore partie intégrante de l'Empire ottoman — ne détinrent jamais de papiers d'identité. Les diverses communautés d'Égypte étaient alors soumises au régime des Églises, et la famille D. dépendait du rabbinat ; les documents qu'elle produisit, en arrivant en France, ne furent pas reconnus ; pendant une dizaine d'années, avant d'obtenir, comme tous les siens, la nationalité française, Maryse fut donc apatride.

Légalement — car cette famille était riche de trois « patries ». Juive, elle participait d'une histoire millénaire, et s'enracinait dans une communauté qui, pour être dispersée, n'en était pas moins vivante et présente en chacun ; communiste, elle luttait avec d'autres, les « camarades », pour un monde meilleur ; de culture française (son père avait fait ses études au lycée français du Caire), elle se retrouvait, à Paris, dans son milieu.

Maryse grandit, puis vécut, dans une sorte de fidélité paisible — et féconde — à ces trois appartenances : « A l'école, raconte-t-elle, je voyais bien que j'étais différente ; quand mes copines m'interrogeaient : "Mais d'où tu viens ?", je ne savais pas toujours quoi répondre : je n'osais pas dire "égyptienne", puisque je n'étais pas musulmane, ni "israélienne" puisque nous n'étions pas sionistes... Quelquefois, je me demandais pourquoi les familles de mes amies ne m'invitaient pas : n'étais-je pas comme il faut ? Mais cela ne me tourmentait pas beaucoup : j'étais convaincue que chez nous, c'était mieux. Nous vivions à l'orientale, la maison était grande ouverte, il y avait toujours beaucoup de monde, et j'étais heureuse. »

Il y a toujours beaucoup d'amis dans la maison de Maryse — qui reste juive et orientale, c'est-à-dire, entre autres, très accueillante : ne m'a-t-elle pas reçu et préparé un café, alors que sa jambe cassée, et plâtrée, la faisait souffrir ? Je la revois encore, cherchant péniblement dans une pile de dossiers des documents sur l'immigration, qu'elle tenait à me donner... « On ne célèbre pas les fêtes, poursuit-elle, mais je reste juive et, devant des antisémites, je le revendique. Ce n'est pas une nationalité, c'est une différence, que je ressens positivement. Face aux racistes, bien sûr — et à certaines pratiques de cette société, qui me choquent toujours : ici, on ne parle que d'héritage, on se débarrasse des vieux dans les hospices... Chez nous, c'est impensable... »

Française, Maryse l'est par sa formation (lycée, université), sa culture, son activité professionnelle (elle est maître de conférences en sociologie), par son mariage — avec un Français de gauche, sociologue, issu d'une vieille famille catholique, et dont le père fut diplomate ; mais elle se sent d'« une certaine France contre une autre » : « Il y a plusieurs France, dit-elle. Je revendique l'héritage de la Révolution française, je récuse la France vichyssoise, petite-bourgeoise, chauvine. » « Sans complexes », parce qu'elle a « *donné* » à « la France qu'(elle) aime » — « En 1961, j'ai manifesté au métro Charonne, et eu quelques côtes brisées » —, elle se sent légitimée dans les critiques qu'elle est amenée à formuler — et vit pleinement son rôle de citoyenne.

Pleinement — c'est-à-dire, pour elle, par le biais d'un engagement communiste. « Au lycée déjà, j'ai milité dans des comités antifascistes... Pendant la guerre d'Algérie, j'ai adhéré à l'Union des jeunesses communistes, puis à l'Union des étudiants communistes... A l'âge de vingt ans, je suis entrée au parti, plus pour des raisons affectives qu'intellectuelles : le PC était pour moi le parti de la paix, de l'antiracisme, de la justice. » Maryse ne l'a pas quitté : « J'ai vécu à l'ombre des usines Renault, et par la fenêtre du séjour, j'aperçois toujours leurs cheminées... Vous les voyez, là-bas ?... Je reste au PC par fidélité à ce qu'il représente. A ses militants. A tous ceux qui sont derrière l'appareil, aux camarades de la base... Je me trompe peut-être, mais je préfère me tromper avec la classe ouvrière. »

Une classe qui sollicite aussi l'intérêt théorique de cette militante : Maryse vient d'achever une thèse de doctorat, qui a pour sujet *l'Immigration dans la classe ouvrière...* « Il ne faut pas être très freudien, dit-elle, pour entrevoir les raisons de ce choix... »

Internationaliste, ou simplement humaine, dans le sens le plus riche et le plus noble de ce terme, Maryse et son mari, qui ont un enfant, Odile, en ont également adopté deux : une fille, Dominique, un garçon, Fabien. Fabien et Dominique sont noirs. Tous les trois vivent en parfaite intelligence. « Mais Fabien, ajoute Maryse, a du mal à se situer ; il ne connaît pas son pays d'origine ; élevé par des Blancs, il voudrait être blanc, comme tout le monde... Il aimerait devenir dermatologue... Pourquoi pas ? Ce peut être une excellente façon de sublimer ses problèmes de peau. »

Si bien que Maryse reste optimiste, même si le discours actuel sur les « races », les « différences ethniques » la surprend un peu et l'agace : « Je n'ai pas grandi dans un univers où l'on parlait sans cesse de Blancs, de Noirs, et d'autres données contingentes. Nous étions divisés *politiquement*, sur des projets de société, sur des modes d'organisation sociale, nous ne transformions pas en problèmes des facteurs qui ne dépendaient pas de nous. Nous nous heurtions sur des choix, c'était plus sain. »

Une « ringarde idéaliste », Maryse, comme Fabien le lui reproche parfois ? Ou, au contraire, un être lucide, qui ne prend pas l'accessoire pour l'essentiel (« les différences de classes me paraissent plus importantes que les différences de cultures ») ?

En l'écoutant parler, je ne fus pas seulement frappé par sa sérénité, par sa façon tranquille de vivre ses diverses appartenances. Je constatai, très concrètement, comment un être pouvait gérer au mieux son intégration dans sa société d'adoption, et comment, en retour, cette société y trouvait son meilleur compte.

On voit bien ce que l'insertion de Maryse dans la collectivité française a pu lui apporter — ce que, probablement, elle n'aurait pas trouvé dans l'Égypte actuelle : un statut de citoyenne à part entière, la possibilité de vivre au grand jour son engagement marxiste, les diverses libertés dont elle jouit ici, l'épanouissement qu'elle connaît... Mais l'on voit bien, aussi, ce que la France, ou une « certaine France », y a gagné : une militante qui, avec beaucoup d'autres, a lutté, et lutte toujours, contre l'injustice, le racisme, la bêtise sous toutes ses formes ; une femme qui, par les enfants qu'elle a adoptés, témoigne — sans grands discours, mais par un acte — de la fraternité sans frontières entre les hommes ; une intellectuelle qui contribue, par ses travaux, au progrès de la connaissance...

Quelles richesses la collectivité aurait-elle reçues d'un être diminué — d'une juive honteuse de sa judéité, d'une Blanche blanche de peur à l'idée de paraître avec des enfants noirs, d'une citoyenne timorée, soumise aux ordres de tous les pouvoirs, d'une universitaire docile et conformiste ? Que peut attendre une société d'un être diminué, privé d'une partie de lui-même, désadapté à sa propre condition ? Tout sentiment d'inachèvement ou d'incomplétude est cause de souffrance : il n'est pire malheur, pour un être (et, par ricochet, pour un groupe) que l'étrangeté à soi-même. La vie fausse, ou faussée. Inauthentique.

On sait — exemple limite — combien il est pénible de ne pas connaître son ascendance immédiate, quelles démarches, quels efforts accomplit souvent une personne pour découvrir d'où elle vient, quel est ce père (cette mère) qui n'a pas voulu la reconnaître ; même si l'opprobre est moindre aujourd'hui, l'enfant illégitime reste, dans l'inconscient collectif, un « bâtard ».

L'adulte qu'une société d'accueil rend illégitime — par le traitement infériorisant qu'elle lui impose, et les prétentions abusives qu'elle formule à son endroit — risque de devenir, lui aussi, un bâtard. *« Cachez vos différences! »* : il arrive qu'il en souffre, quand il pourrait en jouir ; elle n'en retire aucun profit, quand elle pourrait s'en enrichir.

Zola, Apollinaire et quelques autres

Maryse, ou l'histoire, en raccourci, de la France. Qui n'a cessé, au cours des âges, d'être fécondée, la plupart du temps malgré elle, par des apports extérieurs. Quitte, plus tard, à les considérer comme les expressions les plus « pures » du génie national.

Je n'ai lu nulle part qu'on rougissait de l'origine italienne d'un Marat, d'un Gambetta, d'un Viviani..., ni qu'on regrettait d'avoir accueilli Cuvier, d'origine suisse, Gramme, un artisan belge émigré à Paris,

Marie Curie, d'origine polonaise... Les manuels d'histoire les plus nationalistes présentent leur action politique, leurs exploits militaires ou leurs travaux scientifiques comme autant d'illustrations de l'« esprit français ».

Je n'ai jamais entendu quelque porte-parole des Dupont-la-Joie promettre l'autodafé des belles histoires de la comtesse de Ségur, fille d'un gouverneur de Moscou, ni déplorer qu'à l'école les enfants rêvent sur un poème... « Et les vents alizés inclinaient leurs antennes/Aux bords mystérieux du monde occidental... », de José Maria de Heredia, d'origine cubaine, ni regretter qu'ils murmurent, songeant à leurs petites amies perdues... « Mais avec tant d'oubli comment faire une rose/Avec tant de départs comment faire un oubli... », de Jules Supervielle, d'origine uruguayenne, ou s'émeuvent... « Sous le pont Mirabeau coule la Seine/Et nos amours, faut-il qu'il m'en souvienne... » d'un poème d'Apollinaire, d'origine polonaise...

Je n'ai jamais observé qu'un démagogue cocardier promette d'expurger les bibliothèques des romans de Joseph Kessel, Henri Troyat, Elsa Triolet..., ni des ouvrages de Vladimir Jankélévitch, d'origine russe, ni encore des livres de Castoriadis, d'origine grecque, ni des essais d'Edgar Morin, juif de Salonique...

« J'accuse! »... S'il s'est trouvé un Charles Hernu pour refuser que la statue de Dreyfus se dressât dans la cour d'honneur de l'École militaire, il me semble que la majorité des Français se réjouit qu'un Zola, fils d'un ingénieur italien, ait si courageusement lutté contre un verdict antisémite, et sauvé, avec l'honneur du capitaine, celui de son pays.

« Oui, mais..., Harlem Désir[20] *» :* même les gaze-

tiers les plus venimeux n'osent regretter publiquement que le fils d'un Antillais et d'une Alsacienne, qu'un juif d'Algérie, Bernard-Henri Lévy, qu'un juif d'origine polonaise, Marek Halter, soient à la tête du combat pour les droits de l'homme.

Personne, enfin, n'a jamais parlé d'épurer la chanson française, le théâtre, le cinéma, de tous ces talents qui les honorent : Aznavour, d'origine arménienne, Yves Montand, Michel Piccoli, Serge Reggiani, Lino Ventura, d'origine italienne, Enrico Macias, Guy Bedos, juifs d'Algérie, Madeleine Robinson, d'origine tchèque, Ariane Mnouchkine, de père russe et de mère anglaise, Jean-Pierre Mocky, d'origine polonaise, Isabelle Adjani, d'origine algérienne... et tant d'autres.

Certes, ici et là, on n'aime pas les Beurs. Mais, que je sache, personne ne leur a encore reproché de créer de nouveaux modes d'expression artistique. Ce qu'ils font, pourtant, comme le remarque un sociologue, Rémy Leveau : « La jeunesse issue de l'immigration, notamment sur le plan de la musique et de la chanson, a de fortes chances de se trouver à l'origine de nouveaux courants de culture populaire. On pourrait même faire l'hypothèse paradoxale que ces nouveaux venus de l'hexagone seront demain plus attachés, comme l'est déjà la classe moyenne du Maghreb, à la langue et à la culture françaises que certains Français dits de souche, qui sont prêts à reconnaître à la langue et à la culture anglo-saxonnes une valeur supérieure en termes de modernité[21]. »

La France d'hier, celle qui se fait sous nos yeux : une France plurielle. Au tableau d'honneur national, comme sur les monuments aux morts, des milliers de noms qui viennent d'ailleurs.

En évoquant tout ce que les Français de l'étranger, ou les étrangers qui sont devenus récemment français, ont apporté à ceux qui les ont précédés dans l'hexagone, on rêve à ce que pourrait être une France idéale, si elle intégrait un peu plus de Japonais (qui semblent si inventifs et si habiles dans le domaine commercial), d'Allemands (qui nous donneraient un peu plus de rigueur et d'organisation), de Suisses (qui nous apprendraient à être plus propres), d'Américains (qui nous délivreraient peut-être de ce carcan monarcho-hiérarchique qui paralyse tant d'esprits créatifs et protège les privilèges des médiocres : cf. l'université), un peu plus de Slaves (pour faire contrepoids à la sécheresse « cartésienne », qui s'appelle aussi mesquinerie), encore plus de Maghrébins et d'Africains (pour leur convivialité, leur sens de la générosité)...

Hélas, c'est le fantasme tasmanien qui en obsède plus d'un, dans l'hexagone ! Les Tasmaniens, rapportent les ethnologues, forment probablement la société humaine la plus fermée, la plus homogène qui soit : ces Océaniens appartiennent tous au même groupe sanguin. Farouches endogames, vivant exclusivement entre eux, toutes portes fermées sur l'extérieur, ils sont (ils étaient, dans les années 30) les êtres les plus arriérés qu'ethnologue ait jamais rencontrés : ils n'avaient pas encore inventé le feu, et leur langage se composait de quelques *clics* et *clacs* de la langue...

Si personne (ou presque) ne souhaite sérieusement une France tasmanienne, et si tout le monde reconnaît — avec le recul du temps — la positivité des apports extérieurs (a-t-on déjà entendu un fasciste réclamer le « nettoyage » — la francisation — des cimetières ?), par quelle étrange contradiction, par quelle perversion voudrait-on, ou a-t-on voulu, au cours des siècles, dans ce pays comme dans bien d'autres, que les derniers arrivés se transforment en « bâtards », qu'ils se mutilent, sapant les fondements mêmes de leur personnalité, la reniant — reniant leurs pères, leurs mères, leurs grands-mères ? Et comment s'étonner qu'ils réagissent en accusant leurs différences, les accentuant parfois de manière telle qu'elles deviennent des dissonances ?

« *Cachez vos différences !* »

« Ne soyez plus ce que vous êtes ! » Cette exigence aberrante (psychologiquement), scandaleuse (moralement) et stérilisante (socialement) se manifeste pourtant tous les jours, dans ce pays qui est peut-être « beau », mais moins « grand » et « généreux » qu'il ne le prétend : il n'est pas de Français d'origine étrangère visible (ne serait-ce que par le nom) qui ne s'expose continuellement à la méfiance, à la suspicion ou au rejet de Français d'origine étrangère moins visible, ou gommée par le temps.

Au minimum, on vous rappelle — d'une remarque étonnée, d'un sourire moqueur, en imitant votre accent... — que vous n'êtes pas d'ici.

Américaine d'origine, mariée à un Français, à Paris depuis dix ans, Nancy K. a pourtant appris quelques manières d'être et de faire apparemment fondamentales : « Maintenant, je dis “Bonjour Monsieur”... “Bonjour Madame”... Au café, je ne m'assois plus là où il y a de la place, comme autrefois : si je ne veux qu'un sandwich, je ne me dirige plus du côté où l'on ne sert que des repas... Depuis deux ans, j'apprécie le camembert et le fromage de chèvre, je bois (modérément) : demander un verre d'eau ne m'attirait que mépris. Du lait ? On souriait, on me plaignait... Les serveurs me connaissent bien, ils savent qui je suis, ce que je fais ; n'empêche : quand je m'installe, et que le garçon qui me sert d'habitude est occupé, on le prévient en criant : "l'Américaine est là !" »

Ce n'est pas méchant ? Sans doute, mais c'est agaçant — « Américaine, française, je suis d'abord Nancy, j'aimerais bien qu'on me prenne pour moi-même » — et, souvent, c'est hargneux ou franchement hostile : plus d'une fois, quand j'étais petit, j'ai vu Mamaï revenir en larmes du marché : on l'avait traitée de « sale étrangère ! ».

On ne m'a jamais appelé ainsi, mais on ne m'a jamais, non plus, tout à fait pris pour un Français. A l'école, mon nom fit toujours problème : « T'es quoi, toi ? me demandait-on. Macaroni ? »... Même avertis, beaucoup s'obstinent à le déformer, et ne m'assimilent à la collectivité nationale qu'en escamotant — et francisant — sa prononciation.

Vieille tradition : régulièrement, depuis un siècle (le premier Code de la nationalité date de 1889), des voix s'élèvent, qui exigent qu'un étranger modifie son nom en devenant français, car « un patronyme... à consonance étrangère nuit à notre prestige ». D'où des problèmes de transcription, que les bureaucrates règlent n'importe comment : « Wanilewski devient Basile, Giraudo devient Giraud, Vimeï devient Vimey, Viale devient Vial... » Même un prénom étranger est déplacé ! « Aujourd'hui, dans les salons de coiffure ayant pignon sur rue, rapporte Gérard Noiriel, il arrive aux patrons d'exiger de leurs employées d'origine maghrébine de prendre des prénoms plus "médiatiques" pour ne pas choquer la clientèle[22]. »

Mon nom choque donc toujours et les réticences de l'administration à mon égard furent toujours vives. Quand, en 1968, je comparus devant un tribunal militaire pour y être jugé de mon insoumission « algérienne », le procureur remarqua, comme pour m'excuser : « Évidemment, avec une mère russe et un grand-père italien, M.M. ne pouvait avoir qu'un sens patriotique réduit »... Façon polie, somme toute, de dire ce que le journal *la Patrie* exprimait plus crûment en 1896 : « Ils arrivent, telles des sauterelles, du Piémont, de la Lombardie-Vénérie, des Romagnes, de la Napolitaine, voire de la Sicile. Ils sont sales, tristes, loqueteux... Ils s'installent chez les leurs, entre eux, demeurant étrangers au peuple qui les accueille..., jouant tour à tour de l'accordéon et du couteau...[23] » Avec de tels ancêtres, comment aurais-je pu, en effet, être patriote ?

A la frontière, il arrive fréquemment que le policier, dès la lecture de mon nom, consulte le fichier ; quand je suis avec Fadéla *(« née à Skikda, Algérie »)*, c'est quasiment la règle... Il y a quelques années, me présentant à la mairie pour renouveler ma carte d'identité, je me heurtai à un refus : doutant de ma francité, l'employé me réclama l'extrait de naissance de mon père ; je ne l'avais pas : il m'expédia au service des étrangers de la préfecture... Faut-il rappeler le cas de Jacques Laurent, qui découvrit, à peu près dans les mêmes circonstances, que sa qualité de Français faisait problème[24] ?

« La petite Chilienne »

Celle de Rosa G. ne le fait pas : dans son entourage on ne la reconnaît pas... Née au Chili, parisienne depuis treize ans, universitaire, Rosa enseigne dans un institut supérieur. Elle parle français avec élégance et sans accent, elle est, dans sa discipline, d'une haute compétence. Une scientifique comme une autre parmi les autres ? Oui, mais... *Mais* elle a une abondante (et belle) chevelure noire (un peu *trop* noire), la peau brune (un peu *trop* brune), un nom espagnol. Tout le monde l'apprécie, mais personne n'oublie son « étrangeté » : « Je ne serai jamais traitée comme une vraie Française, dit-elle. Quand on me voit circuler dans les couloirs, on ne me regarde pas comme on regarderait n'importe qui. On est très gentil, bien sûr — mais un peu trop : paternaliste. Je suis la "petite Chilienne" qu'on a recueillie, je reste la "petite réfugiée"... Ou bien des copines s'étonnent que j'aie les mêmes références qu'elles : "Tiens, toi aussi, tu connais ce chanteur ?... Tu as lu Voltaire, là-bas ?..." ; et comme elles savent que j'ai lu aussi des auteurs qu'elles ne connaissent pas, elles me jalousent un peu... Si on critique devant moi les étrangers, on précise que ces remarques ne me concernent pas... On me considère comme une Française exotique, et plus exotique que française. »

« Tu n'as rien d'une Algérienne ! »

N'est-ce pas un peu le même regard qu'on porte sur Fadéla ? Certes, sa position est plus confortable : elle n'a pas la peau brune, ses cheveux, abondants, ne sont pas noirs, et bien qu'elle les teigne au henné, elle ne correspond pas au stéréotype français de la « femme arabe ». Si bien qu'a priori, et même a posteriori, elle n'a jamais été rejetée :

« Dans mon lieu de travail, dit-elle, je n'ai jamais provoqué de réactions racistes ; même quand il m'arrive de discuter vivement ou de m'opposer, personne ne fait jamais la moindre allusion à mon étrangeté. » Mieux même : on apprécie généralement beaucoup sa présence. A cause, peut-être, de ce « plus » qu'elle apporte à son entourage : plus de gaieté, une parole plus libre, une conduite plus décontractée. Lorsqu'elle quitta l'UER de médecine de Bobigny-Paris XIII, ses collègues furent très tristes : « Elle va nous manquer, me dirent-elles, sans elle, ce ne sera pas pareil, ce sera terne. » Oui, Fadéla est pleine de vie, elle anime, de son rire enjoué, moqueur ou complice, les lieux et les milieux où elle se trouve, elle parle avec plaisir, et l'incident le plus banal, quand elle le raconte, devient un conte des *Mille et Une Nuits*...

Oui, *mais*... *Mais* c'est Fadéla comme personne qui est acceptée et appréciée, beaucoup plus que Fadéla l'Algérienne — qui, elle, est totalement occultée : Fadéla « fait » tellement française qu'on oublie qu'elle est *aussi* algérienne. Elle-même ne l'oublie pas, et lorsqu'elle le rappelle, par exemple en venant au laboratoire les mains encore rouges de henné, certaines collègues s'étonnent : « Pourquoi tu gardes ça ?... »

« Pourquoi ? Préparer le henné, pour moi, c'est reconstituer l'atmosphère magique de mon enfance : le henné est mêlé à toutes les fêtes, aux odeurs de bougies et de fleurs d'orangers, à la chaleur joyeuse de toutes ces femmes qui m'ont beaucoup donné, qui m'ont beaucoup aimée. C'est pour toutes ces femmes magnifiques que je n'utilise jamais de gants pour mettre le henné ; la couleur rouge, persistante, de mes mains est un témoignage, c'est ma manière de leur dire : “Je suis votre fille, je n'oublie rien.” »

Fadéla tient d'autant plus à marquer sa fidélité qu'elle est constamment contestée (même si ce n'est pas méchant) dans son identité : « Mais non, tu n'as rien d'une Algérienne ! » En quelque sorte, elle « plaisante » : à l'inverse de Rosa, qu'on prend pour une Française exotique, Fadéla passe parfois pour une Algérienne folklorique. Comme si elle jouait à être algérienne — et de cela, on lui en veut un peu : « Non par racisme, dit-elle, mais parce qu'elles se sentent rejetées ; tout à coup, elles me découvrent différente, alors qu'elles m'avaient annexée et, comme on le dit si bien, assimilée, rendue semblable à elles. »

Autrement dit, l'algérianité de Fadéla ne fait pas problème, dans la mesure où elle n'est pas perceptible, ou plutôt — car elle est, pour d'autres, très apparente : les Maghrébins ne s'y trompent pas —, parce qu'elle ne correspond pas aux clichés habituels : qui dit algérien/arabe/musulman (c'est tout un) dit sous-développé ; Fadéla ne l'est pas ; donc, elle n'est pas algérienne. Mais annonce-t-elle que l'une de ses sœurs vient à Paris, le stéréotype ressurgit immédiatement : « Elle va se perdre, elle ne connaît pas le français ! » La stupéfaction redouble, lorsqu'on apprend que cette sœur, Farida, connaît si bien le français qu'elle est devenue graphologue...

Existe-t-il des milieux, en France, où les différences soient positivement reconnues, et où un étranger, qu'il ait ou non la nationalité française, soit accepté pour ce qu'il est ? Peut-être, mais ce doit être rare. Ou superficiel : Fadéla ne fut jamais aussi « algérienne » que dans les semaines qui suivirent notre arrivée — « Comment vous sentez-vous ? Pas trop déchirée ?... Est-il vrai que là-bas on vende encore les femmes ? » Apprenait-on qu'une dot n'est pas une vente (elle permet aux parents de la fiancée de lui constituer un trousseau), l'intérêt diminuait ; et lorsque Fadéla expliquait qu'elle avait fait ses études supérieures à Strasbourg, il s'éteignait : elle était donc surtout française...

L'« étrangeté » n'est positive que « pittoresque » : c'est à cette condition qu'elle séduit. Aujourd'hui comme il y a cinquante ans (pour ne pas remonter à l'époque de Montaigne) : « Maurice Bedel, dans un de ses romans, *Zulfu*, présente un Turc qui, séjournant à Paris, aimerait discourir sur la vie politique et les réformes que connaît son pays, rapporte R. Schor, mais il est seulement questionné sur les eunuques, les harems et la jalousie des femmes[25]... »

Seules (ou presque) sont appréciées les différences qui « indifférencient » l'étranger dans le paysage français et lui dessinent, en quelque sorte, une place en creux : quels éloges ne fait-on pas de la « discrétion » des Asiatiques ! Pardi, elle les rend invisibles !

Les différences sont-elles exploitables, « rentables », on les accepte volontiers : qui n'engagerait pas une employée d'origine portugaise — elles sont si « dévouées », si « travailleuses » —, un manœuvre d'origine polonaise, « dur à la tâche » ? Beaucoup de chefs d'entreprise favorisent l'ouverture de lieux de prière dans leur usine : français ou pas, un musulman pratiquant est, paraît-il, plus consciencieux, moins porté à l'« agitation » syndicale ou politique... Arabes et Africains n'ont-ils pas également, en temps de guerre, bien des vertus ? Quel écolier n'a entendu glorifier le courage des « tirailleurs sénégalais » ?...

Seuls les milieux artistiques paraissent susceptibles de reconnaître l'autre pour ce qu'il est et ce qu'il fait. Souvent déracinés eux-mêmes, ou marginalisés par leur activité, les artistes sont plus à l'abri que d'autres du chauvinisme et plus sensibles, par vocation, à l'altérité qu'à l'identité : ce qui fait la valeur d'un être et d'une œuvre, à leurs yeux, n'est-ce pas justement son originalité ? « Seuls Français à n'éprouver aucune inquiétude apparente quant à l'avenir de la civilisation nationale, les jeunes artistes parisiens, écrivains, peintres, sculpteurs accueillaient généralement avec cordialité les étrangers qui partageaient leur amour de l'art, écrit R. Schor. Ils habitaient les mêmes quartiers, se retrouvaient dans les mêmes cafés, vivaient, pour la plupart, dans la même gêne... » Anatole Jakovski confirme qu'à Montmartre la bonne entente était de règle : « Le mot "métèque", entretenu laborieusement à coups de poings par *l'Action française* sur toute l'étendue du Quartier latin, n'a jamais pu franchir la barrière de la Closerie des Lilas[26]. »

De l'autre côté de la barrière, ce n'est certes pas toujours, loin de là, le monde des coups, des violences et des injures ; mais c'est toujours le même étonnement, que constatait déjà Montesquieu : « Comment peut-on être persan ? », et la même invite, discrète ou pressante, à ne plus l'être.

La baguette plutôt que la galette

Les Français de fraîche date, ou d'apparence étrangère, répondent à cette invite de différentes façons.

Certains, en jouant la carte du conformisme intégral. Ils appartiennent généralement à un milieu social modeste, ne sont pas très cultivés ou, pour toutes sortes de raisons liées à leur propre histoire, pas très à l'aise avec eux-mêmes. Le regard d'autrui les culpabilise absolument ; ils s'efforcent donc, pour se faire pardonner ce qu'ils sont, de ne plus l'être.

S'ils ne peuvent guère changer leur apparence — à laquelle ils apportent le plus grand soin : ils sont noirs, arabes..., *mais* bien habillés —, ils francisent volontiers leur nom ou leur prénom, et surtout, ils s'appliquent à correspondre le plus possible au stéréotype du Français moyen : ils portent plus souvent la casquette que la chéchia ou la chapka, préfèrent la baguette à la galette et un pastis à un thé à la menthe : n'est-ce pas en mangeant comme les autres qu'on assimile leur(s) substance (s) ? A droite plutôt qu'à l'extrême droite (où ils se feraient remarquer, quand leur rêve est de passer inaperçus), ils votent UDF ou RPR, estiment, « comme tout le monde », qu'il y a trop d'étrangers, ne donnent pas complètement tort à Le Pen, ne critiquent jamais le pouvoir et, athées, animistes ou musulmans, se font une obligation de célébrer les fêtes chrétiennes ; sans nostalgie pour leur pays natal, ils passent leurs vacances dans l'hexagone.

Hommes-clichés, comme existaient autrefois des hommes-sandwichs, ils vivent faux (comme on chante faux), et n'osant pas être eux-mêmes, puisqu'ils se détestent, ils n'arrivent pas davantage à être un autre : leur vie n'est que mirage et faux-semblant. Vie de prospectus. Toute en extériorité. En représentation. Aigris, ils se détruisent deux fois : en renonçant à être ce qu'ils sont ; en se punissant d'y renoncer (maladies, échecs...), ou en punissant leurs proches...

« Vive moi !... Vive la France ! »

Euphoriques, au contraire, sont quelques autres, que leur réussite sociale, ou professionnelle, rend parfois aveugles à quelques aspects déplaisants de leur pays d'adoption. Sur lui, ils ne tarissent pas d'éloges et, prenant la partie pour le tout, assurent que jamais société n'a été plus ouverte que celle-là : ne les a-t-elle pas fort bien reçus ?

C'est le cas, par exemple, d'un ethnologue d'origine belge, professeur à Paris VII, André-Marcel d'Ans.

Enfant, il était déjà « fasciné » par la France : « J'habitais à 5 km de Givet, dans les Ardennes. Je prenais mon vélo et allais chaque jour de l'autre côté... Ce passage continuel de la frontière avait pour moi quelque chose d'exaltant. » L'enfance passa, l'exaltation dura ; étudiant, A.-M. d'Ans magnifie la culture française : « Elle jouissait pour nous d'une sorte d'hyperlégitimité. Toutes nos références culturelles se situaient hors de chez nous... Être publié à Bruxelles, c'était un pis-aller. La réussite absolue : l'être à Paris. »

Mieux encore : y être invité. Être associé à la diffusion d'une culture qu'on admire. Puis intégré, de plein droit, à la caste des mandarins français. Vue de Givet, quelle promotion !

Dans les années 70, A.-M. d'Ans se retrouve donc à Jussieu : bénéficiant d'une clause particulière de la loi Edgar Faure (qui permet de titulariser des professeurs étrangers — à l'exclusion des assistants et des maîtres-assistants), il pose sa candidature, présente avec succès un concours, et devient en 1978 fonctionnaire français... de nationalité belge. Ce qui le gêne : « Quand j'allais en mission à l'étranger, j'y allais comme universitaire français, mais en même temps, pour toutes sortes de questions pratiques, je dépendais de l'ambassade belge. J'ai donc décidé, pour simplifier, de demander la nationalité française. »

Décision difficile, malgré tout : « Quand un Belge acquiert une autre nationalité, il perd sa nationalité d'origine. Or je n'avais aucune raison de la récuser : la Belgique ne m'a jamais rien fait ! J'avais quelque part le sentiment d'être moche. » Intellectuel, habile à « théoriser », A.-M. d'Ans se trouva donc des justifications : « Je me rappelais une phrase de Simenon : "Je suis né belge sans raison ; mais je n'en ai pas trouvé de ne plus l'être." Devenu français, il fallait bien que je donne quelque fondement rationnel à mon choix. J'ai donc cherché... »

Recherche féconde. Pour A.-M. d'Ans, en tout cas. Pour la connaissance de la société française ? C'est moins sûr. Ce nouveau converti estime, en effet, qu'elle est « la société par excellence ». Rien de moins ! « La société française est ouverte. Elle est la contestation vivante de toutes les fatalités sociales... » Effectivement ! 75 p. 100 des enfants qui naissent dans le prolétariat y restent ; les grandes familles, elles, se transmettent de siècle en siècle leur héritage, comme le montre le *Dictionnaire des dynasties bourgeoises et du monde des affaires*[27], d'Henri Coston...

« Cette société, poursuit A.-M. d'Ans, ne cantonne pas les êtres dans leur particularité — les Juifs dans leur ghetto, les Bretons dans leur péninsule... »

Peut-être, mais le ghetto, lui, reste en place : aux Juifs ont succédé les Maghrébins...

« Il y a deux façons de constituer le social, dit encore mon interlocuteur : dans les sociétés primitives *(sic)*, tout est joué d'avance, la tradition assigne à chacun sa place, on devient ce qu'on est : réussir sa vie, pour un Indien Hopi, c'est bien jouer la partition qu'on lui impose... Ici, les règles du social ne sont pas données une fois pour toutes, le droit l'emporte sur la tradition... Je sens en France ce choix en faveur d'un social construit et maîtrisé, ouvert sur tous les plans — génétique, culturel, géographique... » Ouvert à tous, vraiment ? Évoquant le projet de réforme du Code de la nationalité, qu'il se garde de critiquer, A.-M. d'Ans observe : « Les pays où il y a abondance et liberté ne peuvent pas laisser leurs portes grandes ouvertes... »

Certes, la société française est plus accueillante que la tribu des Mundugumor, qui assomment le premier venu et passent leur temps à s'entretuer[28]... Mais cette ouverture est beaucoup moins le propre de la société française que d'une société industrielle ; la société française s'ouvre dans la mesure où elle commence à vivre au rythme européen, sinon mondial ; se rappelle-t-elle qu'elle est française — hexagonale —, elle se crispe, aujourd'hui comme hier. La porte n'a jamais été, et n'est toujours pas, grande ouverte, chaque fois les nouveaux arrivés ont dû la forcer, ou souffrir et lutter pour ne pas rester dans les marges ou sur le seuil.

Il n'est pas d'étranger lucide qui ne se soit plaint de l'inhospitalité de ce pays, et ceux qui en pâtissent sont aujourd'hui légion[29]. A.-M. d'Ans ne veut pas le savoir, et minimise, par exemple, le racisme actuel :

« La pratique quotidienne est plutôt réconfortante... Par exemple, sur un chantier, on ne constate pas d'hostilité à l'égard des travailleurs musulmans, quand ils observent le ramadan. » Évidemment, on ne se sent plus obligé de leur offrir une cigarette !... Mais dans le métro, le train, au commissariat, dans un service public, une agence immobilière, leur fait-on des mamours ?

Dommage qu'A.-M. d'Ans ne lise pas plus les publications du MRAP, ou simplement la rubrique des faits divers : il s'abstiendrait, peut-être, de dire n'importe quoi. Ou d'être de mauvaise foi : s'il n'était pas incommodé lui-même par le racisme ambiant, éprouverait-il le besoin de signaler, au détour d'une phrase, que sa femme, péruvienne et basanée, est souvent prise pour une « Arabe » ?

Un créneau commercial

Conformisme exacerbé des uns, satisfaction surfaite des autres : il n'est pas facile d'être soi-même dans une société qui, par réaction à la diversité qui la constitue, aspire à fonctionner à l'identique. Même si leur sort est plus enviable, les intellectuels ne semblent pas mieux armés que les autres pour raison garder.

Si quelques-uns, comme A.-M. d'Ans, donnent dans l'éloge inconsidéré de leur pays d'accueil et se veulent l'âme tricolore, d'autres optent pour le négativisme systématique et ne se veulent rien. Sinon eux-mêmes. Ils ne viennent de nulle part, et ne sont nulle part. Ils regardent de haut, avec mépris, ceux qui se situent quelque part et qui, sans verser dans la critique systématique ni le dithyrambe, reconnaissent à chaque groupe ce qu'ils lui doivent.

Se condamnant au solipsisme (au demeurant, très théorique), ils ne font société, assurent-ils, qu'avec eux-mêmes, et n'ayant d'autre patrie que leur personne, se prétendent exempts de tout lien. Peut-être, mais c'est au prix d'un énorme égotisme. Ayant largué (pensent-ils) toute amarre, ils voguent sur une mer d'indifférence à l'autre, pour ne prêter attention qu'à eux-mêmes.

On peut se demander si l'attitude de ces intellectuels, qui rejettent — en paroles — toute appartenance nationale, ne s'inscrit pas également dans une perspective d'autonégation. S'ils ne reprennent pas à leur compte, plus ou moins, le regard critique, ou distant, du groupe d'adoption, et si, finalement, ce n'est pas par rapport à lui qu'en dernier lieu ils se déterminent. Dépendants et aliénés, eux aussi, quand ils se croient libres.

Il est vrai, en un sens, qu'une patrie est, ou peut être, de la « glu », comme dit Cioran[30] — ne serait-ce que par le chauvinisme présent, au moins en puissance, dans toute conscience nationale. Ou encore, parce que cette conscience peut très facilement devenir une fausse conscience, dans la mesure où elle est amenée à poser en termes de nationalité, quand ce n'est pas de race, des problèmes de classe, ou de société.

Il est vrai aussi, comme dit Roland Jaccard, que « se réclamer d'une nation, quelle qu'elle soit, est une impolitesse » : l'argument national (nationaliste) n'est pas meilleur que l'argument d'autorité, et un discours qui s'appuie sur des prémisses du genre : « Moi qui suis français » n'est certes pas plus légitime que celui qui invoque, pour se conforter, le prestige de Marx ou d'Aristote.

Mais récuser absolument toute appartenance nationale — celle d'origine, celle d'adoption — ne paraît pas plus authentique que le désir de s'identifier totalement au pays d'accueil. Surtout lorsqu'on ne s'interdit pas de jouir des privilèges ou des droits qu'on a dans chaque pays. Attitude de mauvaise foi — exactement comme celle de cette femme, que cite Sartre, qui continue de parler théâtre avec un soupirant, tout en refusant de s'apercevoir qu'il vient de lui prendre la main.

De la même manière, l'intellectuel qui bénéficie d'une position honorable dans le pays où il vit comme, éventuellement, dans le pays d'où il vient (et où il retourne volontiers), mais qui ne veut pas le savoir et se prétend anational — ce qui est le comble, quand on a deux nationalités —, anhistorique et extra-spatial, est-il de mauvaise foi. A la façon de Schopenhauer, qui faisait l'éloge du suicide devant une table bien garnie. A la façon de Cioran, qui vit et écrit, depuis des décennies, pour nous expliquer que la vie ne vaut pas la peine d'être vécue.

Il me semble que cette distorsion entre un discours désabusé, sinon désespéré, et une existence somme toute confortable, est à la fois une coquetterie, une rente de situation (un « créneau » commercial), et le reflet déformé d'une double marginalité : celle que cette société assigne à l'intellectuel non « productif », celle qu'elle tente d'imposer à tout étranger. Je ne vois pas quel bénéfice (intellectuel) un intellectuel peut avoir à occulter la situation qui lui est faite — à la théoriser dans un discours faux, que sa pratique dément —, ni comment il peut faire son métier d'intellectuel, s'il renonce à cette lucidité première, fondamentale — celle qui porte sur sa propre condition. Cioran ? Il est à la mode, mais la mode passe ; pour le reste, et pour le fond, Épictète a déjà tout dit...

Une question d'étiquettes ?

Qu'un intellectuel « déterritorialisé », ou qui se revendique comme tel, puisse faire œuvre positive, c'est évident : même s'il limite le champ de vision, un point aveugle n'empêche pas de voir. Stimulé par l'étrangeté qui l'habite, il arrive qu'un être se donne une ou des patries d'adoption (démontrant, par là même, à quel point chacun a besoin de s'enraciner quelque part) et qu'il devienne, en art, en sciences, en lettres, un créateur ou un « penseur » authentique.

Tel Mohamed Arkoun, professeur d'histoire de la pensée islamique à Paris III : « Je suis pleinement intégré à ce pays, dit-il, mais en même temps, je me sens infiniment plus riche que toutes ces étiquettes — français, algérien... J'ai passé ma vie à franchir des frontières, à multiplier les cercles de mes appartenances. J'étais (je suis toujours) kabyle, mais j'ai assimilé la culture arabe, puis la culture française, avant de découvrir la culture anglaise, où je suis aussi à l'aise que dans les autres, et je m'initie aujourd'hui à l'allemande. Si je vivais deux cents ans, je m'initierais à la chinoise... C'est une démarche typiquement islamique : “Allez chercher le savoir, même en Chine”, disait le Prophète... »

Bel exemple, assurément, d'enrichissement culturel, bénéfique à soi et aux autres : M. Arkoun enseigne, écrit, transmet ce qu'il découvre... Je ne suis pas sûr, pourtant, que l'interprétation qu'il donne de sa propre position soit exacte : « Français... Algérien..., je me sens infiniment plus riche que ces étiquettes... »

Mais les déterminations en profondeur de notre personnalité ne sont pas des étiquettes, la culture qu'on absorbe avec le lait de sa mère et les berceuses de sa grand-mère n'est pas agrafée à notre moi comme une marque à une chemise, elle n'en est pas détachable, elle est nous-même, elle forme, de l'intérieur, notre intimité la plus profonde. C'est à partir de cette culture, et avec elle, que nous allons vers les autres cultures, les assimilant dans la mesure où la nôtre le permet : ce n'est pas en se référant aux Noirs américains, ni aux Hébreux, c'est en s'appuyant sur un *hadith* que Mohamed Arkoun justifie sa transhumance...

Sa réaction — un peu agressive, un peu méprisante (« ces étiquettes ») — s'apparente assez, me semble-t-il, à ce que Freud appelle une « formation réactionnelle » : « Une attitude ou un habitus psychologique de sens opposé à un désir refoulé[31] » — la négation de ce qu'on est, ou voudrait être, faute de pouvoir l'être vraiment.

Sans jouer à l'analyste de bazar, il me paraît difficile d'admettre qu'un Algérien — qui a grandi à l'époque coloniale, qui a vécu la guerre d'Algérie et l'indépendance — ne soit marqué qu'en surface par ces événements, surtout quand il choisit d'être français. Être français, être algérien : face hier à la répression, face aujourd'hui aux relations conflictuelles Français/immigrés, est-ce un simple problème d'étiquetage ? Se prétendre sans étiquette, quand on en porte deux ou trois (kabyle, français, algérien), n'est-ce pas dire qu'aucune ne nous convient vraiment, mais que chacune nous blesse quelque part, et qu'on n'est à l'aise dans aucune des positions qu'on occupe ? Pourquoi en avoir honte, d'autant plus que ce sont les autres — ici, là-bas — qui nous l'infligent, et qu'elle est beaucoup moins révélatrice d'un déséquilibre personnel que de l'intolérance d'autrui ?

A chacun son dû

Ce que vit (si je ne me trompe) Mohamed Arkoun, je l'ai vécu moi-même, assez longtemps. Enfant, d'abord, quand j'avais honte d'être russe. Citoyen algérien, plus tard, quand je supportais mal d'être encore français.

Non qu'on me le reprochât : jamais l'on ne me fit sentir que j'étais un Algérien d'origine française, et je ne me heurtai pas une seule fois à un « barrage », parce que « français ». Toutes les portes me furent toujours ouvertes — et d'abord celles, publiques, de la radio : les émissions que je faisais avec Fadéla (sur l'histoire de l'Afrique, la littérature, la jeunesse...) étaient diffusées à des heures de grande écoute, et les critiques qu'assez vite elles provoquèrent (nous dénoncions les mariages forcés, le poids des traditions rétrogrades, le sabotage des décrets sur l'autogestion) ne firent pas allusion à mon « étrangeté ».

Après le coup d'État de Boumediene, en 1965, quand je fus pratiquement interdit de presse et de radio, ce fut, essentiellement, à cause des positions qu'on me prêtait : j'étais « communiste », « marxiste »... Répression passive — bien d'autres Algériens, des « vrais », furent torturés et emprisonnés — et, en quelque sorte, honteuse : discrètement, des membres de la Sécurité militaire s'informaient de ma conduite auprès du proviseur du lycée Abdelkader, qui les recevait sèchement...

Loin de me désigner à la vindicte du pouvoir et aux tracasseries administratives qu'il aurait pu me faire subir (refus d'une autorisation de sortie, attente indéfinie d'un passeport), mes « origines », et ma participation à la lutte de libération me valurent un traitement de faveur. A la base même, je ne rencontrai que politesse et courtoisie : aucun policier, à l'aéroport d'Alger, ne regarda jamais avec suspicion le passeport de cet Algérien qui ne parlait guère l'arabe... Quel « Français-musulman », en France, pourrait se prévaloir d'un accueil aussi généreux dans sa communauté d'adoption ?

Est-ce à cause de cette gentillesse même, qui me distinguait ? Ou d'une sorte d'incertitude sur moi-même, venue de l'enfance, qui me faisait aspirer à n'être qu'un ? Toujours est-il que ma francité me gênait, et que je souhaitai, au début, m'identifier totalement à la collectivité. Ou, plus exactement, à cette minorité dans laquelle je me reconnaissais, parce qu'elle était la plus proche de ma culture d'origine : la minorité d'intellectuels progressistes (journalistes, syndicalistes, écrivains) de formation française ou européenne. Les « arabisants » de culture arabo-égyptienne me paraissaient (et ils étaient souvent) particulièrement rétrogrades ; par contre, j'admirais Frantz Fanon, Rahmoun Dekkar, l'un des responsables de l'UGTA (à l'époque où ce syndicat n'était pas inféodé au pouvoir), Mohamed Harbi, directeur de l'hebdomadaire *Révolution africaine*, avant que le pouvoir militaire ne l'emprisonnât...

De prendre comme référence ce groupe de militants algériens m'évita de devenir un « béni-oui-oui » à l'envers, tels ces naturalisés qui ne supportaient pas qu'on critiquât le régime, ou cette Française, mariée à un Algérien, qui poussa son délire d'identification jusqu'à se faire tatouer, porter le voile, et entendre des voix (diaboliques) pendant le ramadan... Mes modèles algériens, mon engagement, avant tout politique, la présence d'une Fadéla toujours prompte à modérer des jugements parfois excessifs me protégèrent contre pareilles divagations.

Mon algérianité, dans ce qu'elle put avoir de sectaire, ou d'artificiel, se manifesta principalement de deux façons (complémentaires) : l'idéalisation de mon pays d'adoption — j'étais tenté de trouver des excuses à toutes sortes de mesures qui me choquaient —, un regard très (trop) critique sur les réalités françaises, que je réduisais à leurs seules dimensions politiques...

Peut-être me reste-t-il quelques traces de cette période maintenant lointaine, mais il me semble que, pour l'essentiel, je m'accepte beaucoup mieux qu'autrefois dans la multiplicité de mes appartenances, n'en privilégiant aucune, reconnaissant à chacune ce que je lui dois, et heureux de mes trois « étiquettes » — russe, française, algérienne.

« La meilleure part »

Il semble que Fadéla, au contraire, ait toujours vécu sereinement sa double culture. A l'abri de tout reniement, de toute exaltation chauvine.

« J'ai été façonnée, raconte-t-elle, par ma grand-mère. D'origine paysanne, avec toutes les qualités arabes : une immense fierté, la générosité, le don de narration, elle était pour nous la déesse tutélaire de la tribu...

« L'Algérie, c'est aussi pour moi la lumière, la mer, la culture arabe et musulmane — une terre, une religion, une culture... J'ai été élevée dans un milieu très musulman... Mon père — un homme très cultivé — dirigeait la Cultuelle musulmane de Philippeville (comme Skikda s'appelait à cette époque) ; et il donna l'exemple dans sa ville, en envoyant ses filles au lycée — en classe, nous n'étions que deux ou trois Algériennes... J'ai eu la meilleure part... L'islam, pour moi, n'a pas seulement signifié prières, dévotion, mais ouverture sur le monde, sur la science, recherche du savoir, là où il se trouve... »

Même aujourd'hui, où elle a pris quelque distance, Fadéla garde une immense tendresse pour cet islam qu'elle vécut comme progressiste. Et qui lui donna aussi une morale : « Cette confiance que j'ai dans l'homme, dans la vie, dans l'avenir, c'est à l'islam que je la dois... Ce n'est pas une religion masochiste, il ne fait pas de la vie une vallée de larmes, ni de la souffrance une vertu... » Fadéla lui doit aussi cette droiture, ou cette rectitude, qui l'empêche de s'égarer : elle ne fait jamais fausse route, ne perd jamais le nord — elle a parfaitement intériorisé et conservé la Loi de son enfance.

Profondément marquée par l'islam (comme un Français, même athée, peut l'être par le christianisme ou le judaïsme), algérienne, Fadéla vit cette appartenance « normalement », sans la survaloriser, sans la privilégier : « Quand on me prend pour une Française, je ne rectifie pas... Autrefois, mon algérianité était un peu comme un drapeau, je tenais à ce qu'elle se voie ; je n'ai plus envie de la brandir, mais je ne l'esquive pas... Me demande-t-on qui je suis, je réponds : algérienne, et j'ajoute — par politesse, par égard envers la culture que j'ai reçue — française d'adoption. Me prétendre française n'est pas une imposture : un pays, c'est une culture, et de ce pays aussi, j'ai reçu la meilleure part. »

Pareille assurance est rare, mais elle est vraie. Un détail, parmi mille autres, l'authentifie : la liberté avec laquelle Fadéla utilise l'un ou l'autre de ses passeports ou, plus exactement, l'aisance avec laquelle, à la frontière algérienne, elle présente son passeport français.

Un passeport a souvent une haute valeur affective : signe de reconnaissance, ou de connivence, preuve tangible de l'appartenance à un groupe, il est rarement perçu comme un simple document qui permet de franchir une frontière. Nancy me disait combien il lui serait pénible, en débarquant à New York, de prendre place dans la longue file des étrangers, puis d'exhiber un passeport français ; bien des Algériennes (les Marocaines, comme les Marocains, sont beaucoup plus décontractés sur cette question, leur nationalisme est moins ombrageux) réagissent comme Nancy, et si elles n'hésitent pas à utiliser un passeport français pour voyager en Europe, c'est un passeport algérien qu'elles présentent au contrôle de police, à Alger ou à Oran.

Pareille gêne — pareille culpabilité — est l'expression évidente d'une profonde division intérieure. D'une crispation d'un moi contre un autre. D'une crampe d'identité. On vit en France, on a la nationalité française, mais, dans certaines situations, on ne veut pas le savoir : déni de réalité et négation de soi-même. Impossibilité (généralement provisoire) d'admettre l'un de ses choix. Comme s'il était honteux. Avec, souvent, un zeste de mauvaise foi et de vertu à bon marché : « Je ne veux pas choquer ma famille. » Comme si, derrière le guichet de la douane, à Alger, New York ou Santiago, c'était à son père — à l'ogre — qu'on tendait son passeport.

Un être en accord avec lui-même, libre et unifié, n'a pas de ces pudeurs infantiles, de ces frayeurs archaïques, il n'accorde pas de valeur magique à un document administratif, il ne fait pas d'un passeport un fétiche — c'est, à la lettre, une pièce qui permet de franchir un passage (un port), comme une clé est un instrument qui permet d'ouvrir une porte, comme le voile, pendant la guerre d'Algérie, n'était rien d'autre, pour les femmes déjà libérées, qu'un morceau de tissu leur assurant l'incognito...

Coup d'œil complice (pour une fois) de l'histoire : comme tous les Français d'origine algérienne (ou, si l'on préfère, comme tous les Algériens de nationalité française) qui se rendent en Algérie avec leur passeport français, Fadéla n'a pas besoin de visa...

D'autres qu'elle — peu nombreux — réussissent à vivre harmonieusement leur double appartenance. Il arrive que ce soit en s'intégrant à la société française, en la connaissant mieux, qu'ils apprécient davantage leurs différences, sans, pour autant, regretter leur choix.

Quand Rosa quitta le Chili pour s'installer à Paris, elle n'avait pas « beaucoup d'idées » sur la France : « Je l'idéalisais un peu, sans doute — au lycée, j'avais été amoureuse de mon professeur de français —, mais cela restait très vague. Je parlais à peine votre langue... J'étais surtout hostile à tout ce qui était américain... Pour le reste, j'étais curieuse et disponible. »

Treize ans plus tard, française et francisée, mais toujours chilienne, elle vit positivement sa singularité — « Je tiens à rester ce que je suis » : loin de la culpabiliser, ou de l'inférioriser, sa différence la protège ; elle l'immunise, estime-t-elle, contre certaines attitudes qu'elle désapprouve :

« Je suis choquée, dit-elle, par l'individualisme que je constate autour de moi, par cette façon de se préoccuper avant tout de ses intérêts, par cette facilité avec laquelle on "marche" sur les autres ou les écrase, par cette désinvolture avec laquelle on se met en avant. Comme je suis stupéfaite par la rigidité des structures hiérarchiques, que la plupart intériorisent très bien : chacun ambitionne de devenir un petit chef ; dès qu'il y parvient, il se croit un grand chef et se montre odieux. Je ne connais pas de pire espèce que les guichetiers de la préfecture de police : ils n'ont qu'un seul pouvoir — vérifier que toutes les pièces nécessaires figurent bien au dossier — mais je vous assure qu'ils l'exercent ! Il manque toujours un papier, ils nous font toujours revenir...

« Mon éducation m'a donné une autre mentalité : les autres ne sont pas pour moi des ennemis, ni des rivaux... Je ne sais pas me battre pour défendre mes intérêts, ou pas aussi férocement qu'ici ; on me dit souvent que je suis "trop gentille"... »

Française et chilienne, Rosa a « une double vie, deux personnalités », et s'en réjouit : « Je ne comprends pas pourquoi en France on a le culte du même. Du semblable. Ni pourquoi on veut à tout prix que quelqu'un soit déchiré, parce qu'il porte en lui une certaine diversité. Pour moi, c'est une richesse : je suis à l'aise avec mes amis chiliens comme avec les Français, ça s'harmonise très bien... »

Après l'étoile jaune, l'étoile brune ?

Nancy, Rosa, Fadéla, A.-M. d'Ans... : autant d'individus, autant de situations particulières, sans doute. Ou plutôt, autant de réponses à une question, toujours la même, que la société française pose à tous les nouveaux venus : « Pourquoi êtes-vous différent ? » Avec, en sourdine, cette exigence : « Devenez semblable à nous ! » Et, en contrepoint, cette conviction : « Parce que nous sommes les meilleurs ! »

Se soumettre ou se démettre : entre le reniement intégral et l'exil, chacun essaie de se bricoler, au mieux, une existence personnelle, avec, ici et là, des échecs et des réussites.

Je ne dis pas, en effet, que tout Français de fraîche date est un Français malheureux, confiné dans les marges de cette société, montré du doigt ou maltraité. Je dis simplement que ce Français-là est renvoyé ou confronté, d'emblée, à sa différence, par un groupe qui la supporte mal, et qu'à partir de là il lui appartient de se définir et de se rééquilibrer.

Le processus peut se révéler positif. En incitant le nouveau venu à exploiter des capacités encore latentes, à inventer de nouvelles conduites et de nouveaux modes d'ajustement. Il est des obstacles qui, surmontés, deviennent facteurs de progrès.

Je doute pourtant que ce soit le cas du plus grand

nombre : si la situation d'infériorité faite aux Juifs dans l'Europe très chrétienne des siècles passés en a conduit certains, par un mécanisme classique de compensation, à devenir des « génies », démentant ainsi l'image toute négative que la société leur renvoyait d'eux-mêmes, beaucoup — la majorité — ont davantage souffert de leur condition qu'ils ne l'ont assumée calmement.

Jamais accepté avec joie et reconnaissance (sinon par des cercles très limités), toujours contraint de montrer patte blanche et de prouver qu'il s'est assimilé, le nouveau Français ne bénéficie que d'une intégration légale toujours aléatoire. Certes, il n'est pas fréquent qu'il soit déchu de sa nationalité, mais cela reste possible : s'il s'intéresse trop activement, par exemple, à la vie politique de son pays d'origine, il peut — pour cause d'« indignité » (!) — ne plus être français.

S'il appartient à un groupe contesté, ou qui peut l'être (n'est-ce pas le cas de toute minorité ?), sa position est encore plus fragile : du jour au lendemain, le 3 octobre 1940, les Juifs français, souvent français depuis des siècles, ont été privés de la plupart de leurs droits par le gouvernement de Vichy. « Ils ont été exclus, rappelle Béatrice Philippe, de toutes les fonctions électives, de tous les grands corps de l'État, de tous les postes administratifs d'autorité[32]. »

Le second statut des Juifs (juin 1941) les éliminait, ou presque, du corps médical et du barreau ; pas davantage ne pouvaient-ils être « banquiers, agents d'assurance, ni même courtiers ou antiquaires ». Honnis — et seuls : « En 1940, nulle voix ne se fait entendre, nul bras secourable ne se tend... L'Église catholique est muette[33]. »

Situation exceptionnelle ? Mais d'un régime à l'autre, il s'en trouve toujours : n'importe quelle situation, si le Prince le juge bon, peut devenir exceptionnelle. Normale hier — ils devenaient français sans formalités — celle des enfants d'immigrés est *déjà* devenue problématique : on en discute, on réunit des « sages », on agite de grands mots *(jus solis, jus sanguinis)*, on envisage de faire prêter serment.. Après l'étoile jaune, l'étoile brune ?

Était considéré comme juif, en 1940, quiconque avait deux grands-parents juifs... Qui n'a pas au moins deux grands-parents français est potentiellement en danger. Pour peu qu'il ne soit pas de vieille « souche », un Français ne peut jamais être sûr d'être réellement chez lui dans ce pays — et les discussions sur le Code de la nationalité en ont inquiété plus d'un. « Certains de mes proches ont paniqué, raconte Bernard Wallon, de la Ligue des droits de l'homme. Par exemple, un cousin, qui habite au Gabon : marié à une Portugaise, père d'un enfant né au Gabon, il a adopté deux petits Chiliens. Quelqu'un, dans cette tribu, allait-il se retrouver étranger ? Par précaution, il a consulté un avocat, et s'est fait délivrer vingt certificats de nationalité... »

Sur un air de Chopin

Si l'intégration d'une personne dans la société française est toujours difficile, celle d'un groupe l'est encore plus : il commence toujours par être rejeté. Comme si, la plupart du temps, on n'était pas allé le chercher !

Grand, les pommettes saillantes, le cheveu rare et

blanc, Jean Jarusel, plus de soixante ans après, se souvient :

« Des agents recruteurs parcouraient la Pologne et l'Allemagne, où vivaient beaucoup de Polonais ; ils nous faisaient miroiter toutes sortes d'avantages : du travail, des salaires élevés, un logement correct, une vie aisée... Mes parents les ont crus...

« Quelques images me reviennent : notre arrivée à Tulle (pourquoi Tulle ? Je ne sais plus), puis de longues marches à pied, le long des routes, les mères avec de nouveau-nés dans les bras ou dans des brouettes, un train encore, des wagons à bestiaux... » Jean Jarusel s'interrompt, cherche dans sa mémoire : « C'est si loin, tout cela... J'avais à peine six ans... Les détails m'échappent... »

En voici : « Ils arrivent pour la plupart en convois collectifs, soit par bateau, soit le plus souvent par chemin de fer, dans des conditions à peine imaginables, rapporte l'historienne Janine Ponty : sélectionnés, douchés, vaccinés, photographiés, enregistrés, parfois même pourvus d'une pancarte accrochée sur la poitrine afin d'éviter qu'ils ne se perdent. Comme du bétail, ou comme des lots de marchandises[34]. »

« A notre arrivée, poursuit Jean Jarusel, on nous a séparés : les Houillères ont expédié mon frère dans un autre coron, à trente kilomètres d'ici, où l'on manquait de main-d'œuvre. Je suis resté avec mes parents et mes deux sœurs... Les maisons promises n'étaient même pas construites, nous logions dans des baraquements et dormions à dix sur de la paille. Pour nous doucher, nous faisions bouillir de l'eau dans des casseroles, qu'on vidait ensuite dans une bassine... Quand l'un de nous était malade, nous organisions une quête pour payer le médecin et le pharmacien... »

L'école terminée (« Il y avait chaque jour des bagarres, on nous traitait de *sales Polacks*, nous ripostions »), Jean Jarusel entre aux Houillères : quand il descend la première fois dans un puits, il a douze ans et demi. « C'était dur, on travaillait comme des fous pour gagner davantage — à 9 heures, à la pause casse-croûte, on ne s'arrêtait pas ; les autres mineurs nous en voulaient, les communistes surtout, qui nous accusaient de briser la solidarité ouvrière ; si l'on était inscrit au syndicat, et qu'on allait à la messe, il fallait se méfier : il y avait toujours quelqu'un pour moucharder, et l'on risquait d'être exclu... »

Ralph Schor : « La CGT nourrissait une (grande) méfiance à l'encontre de certaines nationalités. Ainsi les Polonais lui apparaissaient comme des "populations restées frustes", malpropres, alcooliques, trop dociles et surtout fanatisées par leurs prêtres. Pour cette dernière raison, la confédération repoussa en 1927 la demande de la Société des ouvriers polonais, qui souhaitait s'affilier à la CGT tout en conservant une certaine autonomie[35]. »

Suspects aux militants ouvriers parce que catholiques, les Polonais le sont également au clergé français parce que... polonais : « Les prêtres français, écrit le préfet du Nord, ne fraternisent pas avec les prêtres polonais dont la manière de faire, les mœurs, les habitudes et les traditions ne ressemblent guère à celles du clergé français[36]. » En chaire, « l'évêque des étrangers », Mgr Chaptal, et l'archevêque de Cambrai dénoncent les menées « séparatistes » des religieux polonais[37]...

Rejetés de toutes parts, marginalisés, les Polonais font face — et font bloc : « Nous voulions bien nous intégrer, mais nous ne le pouvions pas, dit Jean

Jarusel. Dès que nous revendiquions un droit — le droit à l'hygiène, à un habitat décent... —, on nous jetait à la figure : "Si vous n'êtes pas contents, rentrez chez vous." Les gens nous accusaient de manger leur pain... Pour sauvegarder leur dignité, pour ne pas oublier, nos pères se sont regroupés. »

Autour de leur église, d'abord. Adjoint au maire de Lille, Bernard Roman raconte : « Quand j'étais tout gamin — j'avais six ou sept ans — j'attendais avec impatience le retour de mon grand-père. Il revenait tout noir de la mine — j'étais fier ; il se douchait, puis repartait : avec d'autres Polonais, il construisait, à quelques centaines de mètres de l'église "française", une chapelle polonaise ; parfois il m'emmenait, je l'aidais à porter des pierres, des planches... »

Les Polonais créent aussi leur chorale et toutes sortes d'associations : un syndicat, une troupe de scouts, une équipe de football, les *Enfants de Marie*, les *Femmes du Rosaire*... A Ostricourt, dans ce petit village où je les rencontre, comme dans tous les corons du Nord, ils reconstruisent la Pologne, et devant l'accueil qui leur est fait, ne songent pas à devenir français : « Être polonais, commente Jean Jarusel, c'était la seule dignité qui nous restât. Mais beaucoup l'ont payée très cher : lors de la récession des années 1934-1936, ils ont été les premiers à être débauchés et renvoyés en Pologne. »

« J'ai vu partir des oncles, des cousins, dit Wladislas Pralat... Les gardes mobiles passaient dans les cités, cognaient aux portes, tendaient un papier, criaient un ordre, que beaucoup ne comprenaient pas. Les expulsés avaient vingt-quatre heures pour liquider leur mobilier et faire leurs valises : trente kilos par personne... Le lendemain, des camions les emmenaient à la gare, escortés par la police, comme des malpropres. Et c'était le retour au pays, dans des wagons à bestiaux, comme à l'aller... »

Les plus valides, ou les plus durs à la tâche, furent épargnés. Et naturalisés sans difficulté : saignée par la Première Guerre mondiale, menacée d'une seconde, la France avait besoin de forces vives. Les jeunes Polonais les lui donnèrent et, le moment venu, la défendirent avec courage. Comme à l'époque de Napoléon, qui avait ses « légions polonaises », rappelle Émile Malet. Comme en 1914. « Pendant la Seconde Guerre mondiale, des mineurs polonais combattant dans les rangs de la résistance française sont fusillés par l'occupant nazi à la citadelle d'Arras[38]. »

Travailleurs et patriotes : cela ne suffit pourtant pas à briser l'isolement des nouveaux Français. « En 1960, dit Robert Anselin, maire d'Ostricourt, je sentais encore beaucoup de réticences ; j'entendais des propos du genre : "Je ne veux pas que ma fille épouse un Polonais !" »

A la même époque, il est encore fréquent que les gamins s'injurient : « Mon frère revenait souvent de l'école avec des bleus », raconte B. Roman. A ce point que l'instituteur conseille à son père de changer de nom : « Nous nous appelions Romankiewicz : *kiewicz* tomba — à la mairie, l'employé le barra à l'encre rouge sur tous nos papiers —, resta *Roman*... Je regrette de ne pas m'appeler comme mon grand-père ; il est vrai qu'avec un nom pareil, c'est plus facile d'être pianiste ou écrivain qu'homme politique... »

Peu de Polonais acceptèrent de franciser leur nom — 20 p.100 environ. Les Adamkiewicz, Cwlisz, Andrezjwski, Koralewski... occupent des pages entières de l'annuaire téléphonique, ou s'étalent, en grandes lettres blanches, à la vitrine des commerçants : Kwittek, boulanger, Wronski, cordonnier ; photographe, Wislaw tient boutique juste en face de la mairie...

Les Français de Pologne n'eurent jamais honte de revendiquer leur origine, qui cessa peu à peu d'être perçue comme une tare : « C'est l'expansion économique, dans les années 60, qui fit éclater la communauté polonaise et hâta son intégration, précise B. Roman. Le ghetto s'ouvrit, quand le fils du mineur devint postier, employé de banque, représentant ou commandant d'une CRS. Et quand, de surcroît, il épousa une Française ou, comme moi, une Flamande. »

Mais l'ex-ghetto n'a rien renié, les Polonais sont toujours très attachés à leur identité, ce sont les Français qui ont changé. Démontrant par là, une fois de plus, qu'il n'y a pas — qu'il n'y a jamais eu, en France — de « problème étranger », mais, chaque fois, face aux nouveaux arrivés, un problème français — celui de l'attitude des Français envers les étrangers. Ce que Richard Wright disait déjà du « problème noir » aux États-Unis — qui est un problème blanc.

Sans « problèmes », sans « complexes », les Polonais, en devenant français, sont restés eux-mêmes : Ostricourt a toujours son église polonaise, très fréquentée, sa troupe de scouts et de gymnastes polonais ; lors des mariages, souvent mixtes depuis 1970, on joue du violon, on danse, on mange et on boit à la polonaise ; pendant les vacances, de nombreux écoliers séjournent à Miedzychod, une petite ville près de Poznan, jumelée à Ostricourt ; en échange, le village accueille de jeunes Polonais — qui laissent parfois, derrière eux, une petite fiancée éplorée...

« C'est curieux, dit le maire, tout en vidant d'un trait, à la slave — « *Na srdrovie !* »... A votre santé ! — le petit verre de vodka polonaise qu'il vient de remplir à ras bord... C'est curieux : il a fallu que vous veniez pour que nous nous interrogions sur notre identité ! D'habitude, nous ne nous posons aucun problème ! Nous vivons à la fois comme des Polonais et des Français, nous apprécions le beaujolais et la vodka, la *kapousta* (les choux) et les frites (il ne faut pas que j'oublie nos amis belges !), le bifteck comme les *pierogi z'miesem*... Même le supermarché s'est mis à l'heure polonaise : on y trouve de la charcuterie et de la pâtisserie de *là-bas*...

« Oui, nous sommes l'un et l'autre, et personne ne se demande plus qui est qui... Nous sommes français, bien sûr — nous nous sommes battus pour la France : vous avez lu les noms, sur le monument aux morts ? —, mais en même temps, nous avons quelque chose de plus — vous avez remarqué le drapeau polonais, dans la salle des mariages ? — et cela nous réjouit, puisque cela nous enrichit. »

Mais la mémoire des origines risque de s'estomper avec le temps. Avec la disparition des derniers témoins, et l'assimilation, quasiment achevée, de leurs petits-enfants. La famille Romankiewicz/Roman est un exemple, comme tant d'autres, de ce fragile équilibre entre le souvenir et l'oubli.

« Ma grand-mère maternelle, qui a quatre-vingt-quatre ans, est restée polonaise, raconte B. Roman ; elle vit à Bruay, sur une parcelle de "territoire polonais" qu'elle a reconstitué : telle qu'elle est "arrangée" et décorée, sa maison pourrait aussi bien se trouver à Gdansk ou Varsovie... Babcha (comme vous dites en russe : *Baba*) ne parle pas français et n'a pas d'amis français ; elle lit un quotidien polonais publié à Lens, *Narodowiec*, et, jusqu'à leur suppression, il y a quelques années, elle écoutait les émissions d'information en polonais de Radio-France, à 6 h 25... »

Sortis du ghetto, tout en restant très liés à leur milieu familial, les parents de B. Roman vécurent, eux, dans la fidélité à leurs anciennes et nouvelles appartenances : son père, juif et polonais, fut déporté à Buchenwald, sa mère participa comme infirmière à la Résistance ; ils se marièrent à la Libération, et élevèrent leurs enfants dans le respect de toutes leurs traditions : « Gamin, je passais mes vacances chez mes grands-parents, poursuit B. Roman, je parlais et comprenais le polonais ; l'un des frères de ma mère était prêtre, il dirigeait un internat en Haute-Marne : j'y avais beaucoup de petits camarades polonais... Mais j'ai été aussi très marqué par la vie et le martyre de mon père, comme, naturellement, par la culture française que j'ai reçue...

« Aujourd'hui, je me sens juif, polonais et français... Un peu flamand aussi, par ma femme — qui enseigne dans un collège. » Et socialiste... Signe manifeste d'intégration : l'engagement politique s'est substitué, pour l'essentiel, à l'affirmation confessionnelle. Mais B. Roman n'*oublie* pas : Boris et Dimitri, ses enfants, savent d'où ils viennent, qui ils sont.

Garderont-ils longtemps la mémoire de leur famille, songeront-ils, eux aussi, à la transmettre ? B. Roman l'espère : « C'est la mémoire qui fait les peuples. Quand un peuple oublie, on en fait ce qu'on veut, on lui fait croire n'importe quoi... En 1950, personne, dans ce pays, n'aurait osé dire : "Je suis d'extrême droite." Aujourd'hui, cinq millions de Français le revendiquent. »

Les deux garçons de B. Roman ont beaucoup de camarades maghrébins — les derniers arrivés dans la région lilloise. Peut-être admettront-ils plus facilement, de par leur culture plurielle et leurs prénoms slaves, que si l'on peut être français en s'appelant Boris et Dimitri, on peut l'être tout aussi bien, et tout autant, quand on s'appelle Ahmed ou Fatima...

On leur prêtait tous les vices, on les disait alcooliques, fanatiques, obsédés sexuels, incapables d'« efforts pour se défricher[39] », tout juste bons à propager des « maladies vénériennes » et à « manger le pain » des Français, inassimilables, évidemment : « Ils n'ont à aucun degré le don d'assimilation[40] », décrétait un rapport officiel. On les suspectait, enfin, d'être au service de l'étranger : « Lisant des journaux écrits dans leur langue nationale, conservant leur religion et la pratiquant, formant des sociétés semblables à celles qui existent dans leur pays, soutenus fortement par leurs autorités consulaires, ces étrangers constituent dans le pays une force[41]. »

On ne croyait pas si bien dire : ces « étrangers » ont donné à leur nouvelle patrie leur force de travail, leurs talents, des enfants, parfois la vie ; aujourd'hui, ils sont fonctionnaires, médecins, avocats, ingénieurs, architectes, hommes politiques, syndicalistes... Acceptés, enfin ! Réhabilités. Et même — mais oui ! — et même aimés : quand une dictature militaire s'abattit sur leur pays, ce ne furent pas des « groupuscules gauchistes », mais des millions de Français qui manifestèrent devant l'ambassade et les consulats, signèrent, pétitionnèrent, se cotisèrent, envoyèrent vivres, couvertures, médicaments, c'est la France entière qui, pendant quelques mois, vécut à l'heure polonaise.

Faudra-t-il encore attendre un demi-siècle, et qu'un général tyrannique prenne le pouvoir au Maghreb, pour que les Français témoignent à l'Algérie la même chaleureuse sympathie ?

« Avec la tête que j'ai... »

On en est loin, hélas ! A l'autre extrémité de la France, en Provence, comme dans la région Rhône-Alpes et en Picardie, c'est la « Pologne » du début du siècle. Et même pire : car les « vrais » Polonais, ceux qui venaient de Cracovie, des Carpates ou de Poznan avaient déjà un pays (une culture, une histoire), et l'espérance, s'ils « faisaient leurs preuves », d'en avoir un jour un deuxième.

Ceux que je rencontre au café de la Gare, à Narbonne, n'ont pas cet espoir-là. Largués, paumés, la plupart sans culture, ou pourvus, au mieux, de quelques bribes de cultures hétéroclites, tels ces clochards vêtus d'un vieux pantalon troué et d'un haut-de-forme, ils ont les mains vides et les yeux tristes, infiniment. Ils ne sont rien, ni personne : sans passé (sinon sans gloire), sans avenir (sinon par chance, comme au loto), condamnés à errer dans un présent aussi glacé qu'un hall de gare, l'hiver.

Non, ils n'ont rien. Sauf une tête — qu'ils cacheraient, s'ils pouvaient. A cause d'elle, on les fuit, on les craint, on les méprise, on les injurie, parfois on les tue. A sa vue, les portes se ferment — portes des entreprises, des agences immobilières, des services publics, des familles, des bals... —, le regard se détourne, les mères, effrayées, appellent leurs enfants, les filles pressent le pas... Le diable ? Pire : un Français-musulman.

« Drôles de Français ! s'exclame un indigène. Est-ce qu'ils ont des têtes de Français ! Avec ces barbes, ces cheveux, cette peau, ces tatouages, ces turbans[42] ? »

« Avec la tête que j'ai, me dit Salah Bouaziz — une belle tête de Maghrébin dans la trentaine, sans barbe, sans turban, mais avec des cheveux noirs, frisés, la peau basanée... — comment voulez-vous que je me dise français ? Ce serait tout de suite la rigolade ! » Salah hésite, cherche comment il pourrait se définir : « Musulman ? Oui, bien sûr, mais ce n'est pas une nationalité. Les autres, ils ne se disent pas chrétiens. » Un silence. « En gros, je suis un Nord-Africain, quoi... »

Il le dit sans révolte. Sans irritation. Comme s'il décrivait un objet, de l'extérieur, tel que tout le monde le voit, tel qu'il se voit avec les yeux de tout le monde. C'est ainsi, il n'y peut rien. Ou plutôt, s'il se bat — il représente à Narbonne une association de rapatriés musulmans — c'est sans illusions.

Il en eut sans doute, au début : l'échec de presque toutes ses démarches lui ouvrit les yeux. Mais « il y a trop d'injustices, ce n'est pas possible de se taire... Tenez, voilà juste trois semaines, il y a eu un accident de voiture sur l'avenue... En face, là... Un gosse est mort. Un gosse de chez nous. Le conducteur attend d'être jugé, mais on ne lui a même pas retiré son permis ! Par contre, si je sors d'ici ivre, même sans blesser personne, c'est l'amende et le retrait... Comment accepter tout cela » ? Salah n'accepte pas — il proteste, intervient, agit, écrit. Par dignité.

Il arriva en France à l'âge de douze ans. En 1967. Avec sa mère, ses frères et ses sœurs, son père, tout juste sorti des prisons algériennes : pendant la guerre, il s'était engagé dans les harkis (les supplétifs de l'armée française), parce que « le FLN (avait) tué (son) père » — le grand-père de Salah, qui avait lui-même un fils dans l'armée française. Désir de vengeance, peur (« On était coincé entre le FLN et les Français »), aucun sens politique, et une soumission aveugle à l'autorité, quelle qu'elle fût (« Ici, les vieux se conduisent comme en Algérie : ils votent pour le maire, ils sont toujours du côté du pouvoir ») : il n'en fallut pas plus pour que cet homme choisît le mauvais camp.

Comme ces 75 000 autres qui, en 1962 et les années suivantes, furent « rapatriés » avec leurs familles : « Ils ne savaient pas ce qu'était la France, dit Salah, ni même où elle était. Mais rester en Algérie était impossible. Alors, ils sont partis. » Pour sauver leur peau.

Et elle seulement. Car la mère-patrie se conduisit en marâtre et les traita en bâtards : honteuse, elle les cacha — les parqua dans des camps, des centres de regroupement ou des cités insalubres, leur donna quelques subsides, parfois un travail, dans les Eaux et Forêts, puis se hâta de les oublier. Gauche et droite confondues.

La droite — en quelque sorte par nature, par « vocation » (perversion) historique et tradition négrière : n'ayant jamais reconnu l'homme dans les « indigènes » qu'elle avait exploités durant cent trente ans, par quel miracle l'aurait-elle tout à coup aperçu dans ces épaves à peau brune qu'elle ramenait à fond de cales ? Psychologiquement, ce n'était pas concevable, politiquement, ce n'eût pas été payant : entre les « vrais » rapatriés — bouilleurs de crus, propriétaires terriens « spoliés », commerçants, tous revendiquant, s'agitant, criant à la trahison — et les autres, elle n'hésita pas.

La gauche non plus. Ni dans l'opposition, ni au pouvoir. A cause d'abord de cette sorte d'« humanisme » sélectif qui la caractérise, et ne la rend sensible qu'aux « bonnes » victimes : plutôt à celles de l'impérialisme américain ou français qu'à celles de l'impérialisme soviétique, pendant longtemps, ou des jeunes dictatures du tiers monde, encore maintenant.

Par conscience de classe (petite-bourgeoise) ensuite. De Guy Mollet à Charles Hernu, la gauche apprécie beaucoup plus les gradés, fussent-ils des crapules, que les simples soldats : elle réhabilita les généraux putschistes de l'OAS et se moqua, comme la droite, des harkis. Enfants et petits-enfants compris — accablés du même opprobre que leurs pères : 300 000 personnes en 1982, parfaitement innocentes (à moins de croire au péché originel), françaises à part entière, légalement, mais honnies et bannies. Rejetées, comme des déchets, sur des terrains vagues, loin des villes.

Vitres brisées dans les escaliers, ordures qui débordent des bacs-poubelles installés au milieu d'un chantier abandonné, quelques-uns sous les fenêtres mêmes d'un bloc d'immeubles : la cité des Oliviers, à Narbonne, n'a de poétique que le nom.

« J'ai beau multiplier les démarches, dit Salah, rien n'y fait. » Il me montre la réponse qu'à la suite de ses interventions, la société responsable de cette cité adressa au sous-préfet de Narbonne : « Comme vous le savez, la cité des Oliviers héberge des familles à caractères spécifiques... » En clair : « Qui jettent les ordures par les fenêtres... (*mais pourquoi les bacs sont-ils pleins ?*)... Notre société engagerait bien une femme de ménage (*c'est donc indispensable*), mais compte tenu des difficultés qu'éprouvent déjà les locataires pour payer les charges ordinaires... », qu'ils gardent leurs détritus et leurs courants d'air.

Comment les familles pourraient-elles payer plus ? Selon un document du secrétariat d'État aux rapatriés, que cite, dans une étude sur les Français-musulmans en Picardie, Saliha Abdellatif[43], « 127 000 personnes (sur 300 000) connaissent des difficultés matérielles très sérieuses, qui les conduisent à faire appel régulièrement aux délégations régionales ». La plupart des jeunes et des adultes sont en effet sans travail : « Je suis resté trois ans au chômage, dit Salah, j'ai un poste depuis un mois ; en revenant du service (national), mon frère n'a rien trouvé ; il fait parfois un “petit boulot”, les vendanges... 95 p.100 des Français-musulmans sont chômeurs. »

Par manque de formation, d'abord : l'échec scolaire est massif. « En 1978, constate Saliha Abdellatif, 21 p.100 des élèves français-musulmans scolarisés dans le primaire étaient dans les sections “voies de garage” (perfectionnement) ; 76 p.100 des élèves fréquentant le secondaire étaient en sections spécialisées ou professionnelles... (Les) carences pédagogiques sont telles qu'ils échouent aux épreuves théoriques du CAP. Aussi se retrouvent-ils à seize ans sur le marché de l'emploi sans qualification professionnelle reconnue[44]. »

En ont-ils une, c'est eux qu'on ne reconnaît pas. « Même l'administration nous écarte », dit Salah. Comme le privé : soudeur diplômé, il a répondu à des offres d'emploi de sociétés françaises installées dans des pays arabes ; passeport en règle, vacciné contre la fièvre jaune, il était prêt à partir. Au bout du fil, on était prêt à l'engager, la place était libre ; le temps qu'il se présente, elle était prise... « Avec la tête que j'ai... »

Avec celle qu'ils ont, les autres trouvent encore moins. Traînent dans les cafés, les rues. Volent, puis revendent : il faut bien vivre. Tels, par exemple, les enfants de cette femme, chez qui Salah me conduit : deux pièces, presque vides — un divan aux ressorts cassés, un buffet sans âge, deux ou trois chaises branlantes. Usée, le corps défait, la femme vit seule ; sans qualification, elle est au chômage depuis cinq ans. Comme ses garçons, qui « ne font rien » : « Saïd est à la Santé, dit-elle... Il a dix-sept ans. On m'a téléphoné pour que j'aille le chercher. Mais je n'ai même pas d'argent pour prendre le train. » Saïd attendra. Le temps que ses frères aient chapardé une mobylette, un poste TV couleurs (revendu 500 F) ou des vidéo-cassettes, pour que sa mère prenne le train.

« La police les connaît tous, ajoute Salah, mais elle laisse faire. Jusqu'au jour où, pour en "coincer" quelques-uns, faire peur ou parce que les plaintes s'accumulent, elle fait une descente, et en arrête une dizaine. Ce qui ne change rien. » « Près de 50 p.100 des jeunes sont prédélinquants, constate Saliha Abdellatif ; ce taux monte à 75 p.100, si l'on prend en compte les garçons échappant à la loi[45]. »

Pour les calmer, et justifier son existence, le secrétariat d'État aux rapatriés leur fait, de temps en temps, de belles promesses. Salah me tend une brochure, publiée au printemps dernier : sur la page de garde, un soleil ; se détachant sur le soleil, une tête de Maghrébin — comment ne pas la reconnaître ? Elle porte un turban ! —, un Maghrébin heureux : un foulard bleu blanc rouge autour du cou, il sourit à un avenir radieux. Il peut, dès demain, « améliorer (son) habitat » ou « acheter un logement », « créer une entreprise », travailler dans le tiers monde (« Mission bio-force de développement »), « passer un permis spécialisé », « étudier dans une école militaire technique »... Pour plus ample information, qu'il s'adresse à la préfecture.

« Les premières fois, on y a cru, dit Salah ; mais quand on a vu les résultats... Tous les dossiers qui sollicitent une aide pour l'habitat ou l'achat d'une maison sont systématiquement refusés : les demandeurs sont trop âgés, ou bien leurs ressources sont insuffisantes. »

En novembre 1982, le secrétariat d'État aux rapatriés organise un stage pour « orienter » les jeunes Français-musulmans ; les stagiaires sont des lycéens du niveau de première et de terminale. On les soumet, pour commencer, à un test de « culture ». Première question : « Le cheval a-t-il des plumes ou des ailes ? Écrivez le mot qui convient. » Deuxième question : « Les pompiers éteignent le feu avec de l'essence. Modifiez la phrase. » Troisième question : « Tu seras comptant ci ti et admi a cette examin. Orthographiez correctement[46]. »

« Voilà ce que cela donne, quand on s'occupe de nous, commente Salah ; mais la plupart du temps, on nous ignore. » Les syndicats comme les partis. Quelques promesses en période électorale, vite oubliées.

« C'est comme SOS-racisme, ajoute-t-il : il ne s'intéresse qu'aux Juifs et aux immigrés. J'ai écrit plusieurs fois à Harlem Désir, il n'a jamais répondu. »

Salah évoque encore les mille vexations de la vie quotidienne — les logements libres, mais « déjà loués » quand la personne se présente, la discothèque, qui refuse parfois l'entrée à un « musulman », ces infirmières, à l'hôpital, qui décident que l'enfant portera un prénom français : « Une mère voulait que son fils s'appelle Djelloul, raconte Salah. “Très bien, répondit l'infirmière, ce sera *Jean-Louis*. C'est tellement mieux !” Quand Farid est né — c'était la Saint-Christophe — on a insisté pour que je l'appelle *Christophe*. J'ai protesté, mais beaucoup se laissent faire : ils ont peur, ils se sentent de trop, ici. »

Difficile, en tout cas, de se sentir chez soi, quand certains agents d'autorité vous traitent comme un étranger. Tel ce douanier, auquel, rentrant d'Allemagne, Salah présente son passeport : « Il l'a regardé, puis m'a demandé ma carte de séjour ! J'étais abasourdi. J'eus beau lui répéter, papiers à l'appui, que j'étais français, il ne voulut rien entendre et, d'un wagon à l'autre, me poussa sans ménagements vers son supérieur ; loin de s'excuser, celui-là ricana, et me renvoya à ma place. Tout autour, on me regardait comme un suspect. Non — comme un coupable. Comme un Arabe. »

Il y a trois ans, Salah est retourné en Algérie : « C'est un beau pays... — Non, c'est superbe !... intervient Ali, l'un de ses amis, qui vient de nous rejoindre. En descendant de l'avion, j'avais la gorge serrée, j'étais ému, je voulais tout voir, tout connaître... Mais très vite, je me suis senti à l'étranger... Le passé est oublié, c'est vrai, on nous laisse tranquilles avec nos pères, on nous regarde comme des immigrés — des privilégiés, puisqu'on vit en France, et en même temps, des Arabes de seconde zone, des Arabes de Barbès... Moi-même, je ne m'y retrouvais pas, ce n'étaient pas mes mœurs... »

« C'est vrai, reprend Salah, c'est agréable en vacances, pas plus... Ce que j'ai surtout apprécié, là-bas, c'est d'être anonyme : personne ne me regardait, je me promenais incognito... Ici, avec la tête que j'ai, si je fais un faux pas... Et même si je n'en fais pas... Ah, soupire-t-il, si je pouvais n'appartenir à aucune nation ! Mais nord-africain je suis, et je reste... »

Une image de soi qui repousse — et fait honte. Une image brouillée. Trafiquée. Imprésentable. Insupportable, et à soi-même d'abord : il n'est pas de pire détresse. Comme un malade qui se tourne et se retourne dans son lit, en quête d'une position où il souffrirait moins, Salah, Ali et les autres se cherchent en vain une identité. Aucune de celles qu'on leur impose — leur inflige — ne leur convient : elles sont toutes fausses. On les dit arabes, musulmans, nord-africains : c'est une façon de leur dire qu'ils ne sont pas français.

La seule appartenance, pourtant, dont ils pourraient s'accommoder. Car ils ne parlent guère l'arabe — sinon quelques mots, appris de leurs parents, qui eux-mêmes utilisent un dialecte très pauvre —, ils n'ont aucune culture arabe, et de l'islam ils ne connaissent que quelques rites — le ramadan surtout, qu'au demeurant seules les femmes observent encore. Déchus par l'histoire de ce qu'ils furent autrefois, exclus d'une communauté à qui leur *tête* ne revient pas, ces *heimatlos* n'ont aucune identité.

Bénéficiant d'une autre culture, ils auraient pu, comme les Polonais, faire face, puis s'intégrer ; mais privés de toute culture d'origine et incapables, par là même, de s'insérer dans une autre, d'autant plus qu'elle les repousse, ils sont absolument hors jeu, hors monde. Leur être est un non-être, leur moi, un non-moi, leur substance, une absence. Tels des zombies, ils errent dans le royaume des ombres, sans aucun espoir d'entrevoir un jour la lumière.

Même les issues de secours sont bloquées : les mariages mixtes ne tentent personne, et si « les vieux », comme dit Salah, sont « tellement dépassés », tellement résignés qu'ils accepteraient sans un mot que leurs petits-enfants s'appellent Pierre ou Juliette, les familles françaises se rebiffent : que les garçons « s'amusent » avec les filles, c'est leur affaire, qu'ils les épousent, non ! A Narbonne, ces dernières années, dix jeunes gens, seulement, ont « osé »...

La promotion sociale est encore plus mythique : « Le niveau de formation de la population française étant en progression constante, écrit Saliha Abdellatif, les jeunes Français-musulmans sont destinés à occuper dans la hiérarchie sociale la position de leurs pères[47]. »

En guise de patrie, pour eux, un terrain vague.

Le temps des Croisades est-il revenu ?

Être arabe, musulman et français : c'est actuellement une situation presque impossible à vivre. Sinon à titre individuel — exceptionnel —, et à condition que cela ne se remarque pas. Autrement, c'est le rejet. Immédiat. Brutal. Catégorique. Il y a, dans cette société, des « têtes » qui ne « passent » pas. Qu'on ne supporte pas. Qu'on ne peut pas *voir*, dans tous les sens du terme.

C'est pire qu'autrefois, et qu'avec les autres (Polonais, Italiens...), car ce rejet — qui frappe de plein fouet, ici, des citoyens français — n'est pas seulement le fait d'un racisme ordinaire, que le discours officiel, au moins, démentirait et condamnerait : avec le projet de réforme du Code de la nationalité, même si les recommandations des « sages » l'adoucissent un peu, c'est devenu une politique — le refus conscient, programmé et planifié (dans la mesure du possible) de tout ce qui est, de tout ce qui a *l'air* arabe.

N'y aurait-il que les harkis, le problème, bien sûr, ne se poserait pas. Le mal est fait, en quelque sorte, et c'est un moindre mal : ces Français-là ne se révoltent pas ; socialement, politiquement, ils n'existent pas. A quoi bon un nouveau Code ? Pour les tenir à distance, et les maintenir dans leur néant, le racisme suffit.

Hélas, il y a les immigrés — et leurs enfants ! Libres de tout péché originel (ils n'ont pas à rougir de leurs pères, d'où probablement leur plus grande assurance), nés en France, de surcroît, de parents qui en majorité y résident et y travaillent depuis au moins quinze ans, scolarisés dans les écoles françaises, souvent diplômés, ces jeunes ont bien l'intention d'être des citoyens à part entière. Déjà ils l'ont fait savoir : marches et manifestations dans tout l'hexagone, meetings, entretien avec le président de la République...

Avec la *tête* qu'ils ont, c'en est trop : « Immigrés d'au-delà de la Méditerranée, retournez à vos gourbis ! » (J.-P. Stirbois[48]). D'un côté, des démagogues haineux qui libèrent la parole raciste et poussent objectivement au crime ; de l'autre, un gouvernement qui renforce les contrôles aux frontières et multiplie les critères d'admission les plus arbitraires (qu'est-ce que « des moyens d'existence suffisants » ?), impose des visas, refoule, expulse, y compris des réfugiés politiques, extrade, boucle certains quartiers, légalise la chasse au faciès (vérifications d'identité), décrète que « la France n'a plus les moyens d'entretenir une foule d'étrangers qui abusent de son hospitalité » (J. Chirac[49]), s'apprête à rendre beaucoup plus difficile l'acquisition de la nationalité française et, comme l'écrit la juriste Danièle Lochak, est victime de trois obsessions — « l'obsession du verrouillage, l'obsession de la fraude, l'obsession de la clandestinité[50] » : le temps des croisades est-il revenu ?

A dire vrai, l'a-t-on jamais oublié ? Je ne sais si l'histoire bégaie, mais elle radote : cela fait mille ans, environ, qu'on tient sur les Arabes les mêmes propos, qu'on en donne la même image, qu'on leur refuse, en paroles comme en actes, toute humanité, toute dignité, toute noblesse.

L'Arabe est l'abcès de fixation de la névrose hexagonale. Névrose obsessionnelle, avec toutes les caractéristiques décrites par Freud : idées obsédantes (les thèmes de l'*invasion* de la France, de l'*insécurité*, de l'*identité menacée* reviennent continuellement), rumination mentale qui provoque une véritable inhibition de la pensée (aucun discours, si rationnel soit-il, aucun chiffre, si prouvé soit-il, n'ébranlent la conviction du névrosé, que sa phobie aveugle totalement), besoin irrépressible de formuler certains propos (injures racistes, emploi d'un vocabulaire animalier, ordurier/excrémentiel : « vermine », « pourriture », « déchets », « dépotoir », « poubelle »), compulsion à commettre certains actes pour conjurer son angoisse (graffitis, ratonnades...), rites magiques (expulsions, réforme d'un code), qui rassurent, mais laissent intact le noyau de la névrose, puisqu'on s'attaque à ce qui la déclenche apparemment (les Arabes), au lieu d'analyser ce qui, dans l'inconscient collectif, la provoque et l'entretient.

Oui, des Croisés à Le Pen, cela fait mille ans que la société française se complaît à se faire peur (car la névrose, comme toute maladie, a ses bénéfices secondaires), que son système de représentations inconscientes est profondément perturbé — un diable y rôde en permanence, l'Arabe —, que son comportement à l'égard de ces Arabes constitue autant de symptômes de son déséquilibre, que son discours et ses pratiques, loin d'essayer de maîtriser ces pulsions, se mettent à leur service. Sur le divan de l'histoire, la France, d'un siècle à l'autre, ressasse les mêmes fantasmes.

Il est vrai que sa première rencontre avec les Arabes ne fut pas des plus tendres ; ils l'envahirent, jusqu'à Poitiers (qui l'ignore ?), firent des raids dans le Languedoc, en Provence, en Savoie, jusqu'au Valais, et occupèrent l'Espagne, par le fer et le feu. Mœurs brutales, assurément : celles des Wisigoths, celles des Croisés, plus tard, furent-elles plus courtoises ? Au lieu de battre leur coulpe, puisqu'ils s'étaient fait battre, les vaincus accusèrent les vainqueurs de sauvagerie.

Ces « sauvages » (ou leurs descendants) civilisèrent pourtant le Maghreb et l'Espagne, bien des rois de France leur confièrent l'éducation de leurs enfants (qui se cultivèrent dans les universités de Grenade et de Séville, où enseignaient, toutes confessions confondues, philosophes et savants musulmans, juifs, chrétiens), mais marqués au fer rouge du ressentiment, de l'ignorance et de la peur, les petits-fils de Charles Martel continuèrent d'assimiler à des rustres les architectes de l'Alhambra, les artistes de Fès et les penseurs du Caire.

Comparés à des « sauterelles » par le pape Jean VIII, considérés comme une nation « barbare » par les moines de Vézelay (XIIe siècle), les Arabes, comme le rappelle Pierre Vial dans une remarquable étude, sont définitivement disqualifiés en 1095 par le pape Urbain II, qui appelle l'Occident à se croiser contre « un peuple cruel, méprisable, tyrannique, l'esclave des démons ». Un siècle plus tard, saint Bernard bénit les exactions des Croisés : « Le chevalier du Christ tue en conscience... Quand il tue un malfaiteur, il n'est pas homicide, mais, si je puis dire, malicide[51]. »

Affublés de tous les vices — inceste, homosexualité, débauche... , les « infidèles » n'ont même pas figure humaine : leur tête, déjà... « Le Sarrasin est laid, ses traits sont grossiers, ses cheveux hirsutes, ses lèvres épaisses... » Au XVIe siècle, Luther renchérit : « Vous ne luttez pas contre des êtres de chair et de sang, autrement dit contre des hommes... Au contraire, soyez certains que vous luttez contre une grande armée de diables[52]. »

Laïc, anticlérical, rationaliste, le XVIIIe siècle ne donne pas dans ce délire. Pendant quelques décennies, en France — comme en Hollande, en Allemagne, en Autriche, en Angleterre... —, on cesse d'injurier les Arabes, on découvre, et l'on admire, la grandeur de leur civilisation.

« Historiquement, écrit Maxime Rodinson, on met en lumière le rôle civilisateur de l'islam... Les musulmans sont, aux yeux du siècle des Lumières, des hommes comme les autres et beaucoup sont même supérieurs aux Européens[53]. » L'Allemand Herder voit en eux les « professeurs de l'Europe » ; Voltaire (*Candide*), Montesquieu (*Lettres persanes*), Rousseau (*Confessions*), et bien d'autres disent leur enthousiasme devant une culture qui, dans tous les domaines (philosophique, scientifique, médical...) fit progresser la raison et les connaissances. « Le XVIIIe siècle, ajoute M. Rodinson, regarda vraiment l'Orient musulman avec des yeux fraternels et compréhensifs[54]. »

Ce fut bien le seul et, jusqu'à présent, le dernier. Un instant assoupie, l'obsession revient — en force : la fin de l'Empire turc, la conquête du Maghreb, la colonisation et l'impérialisme, l'immigration enfin balayèrent très vite l'image, un instant réhabilitée, de la civilisation musulmane et, de l'inconscient d'un peuple qui n'avait rien oublié ni rien appris, l'épouvantail de l'Arabe « fanatique », « obsédé », « diabolique » ressurgit.

Les esprits les plus ouverts se fermèrent, les intellectuels les plus perspicaces devinrent stupides.

Qu'est-ce que l'Orient pour Flaubert, comme le rapporte Edward Saïd, sinon un lieu de débauche et de perdition ? « Le bouffon de Méhemet Ali, pour réjouir la foule, saisit un jour une femme dans un bazar du Caire, la posa sur le bord de la boutique d'un marchand et là il la coïta publiquement pendant que le marchand continuait à fumer tranquillement sa pipe... Dernièrement, il est mort un marabout. C'était un idiot, qui partant passait pour saint, pour frappé de Dieu. Toutes les femmes musulmanes allaient le voir et le polluaient, si bien qu'il en est crevé d'épuisement. Du matin au soir, c'était une branlade perpétuelle[55]. »

Comment douter, devant pareil spectacle, que l'Arabe fût une bête ? De fait, Chateaubriand ne *doute* pas, pour qui l'Arabe est « l'homme civilisé retombé dans l'état sauvage ». « Il n'est donc pas étonnant, commente E. Saïd, que, tandis qu'il observait des Arabes essayant de parler français, Chateaubriand se sentît comme Robinson Crusoé tout ému d'entendre son perroquet parler pour la première fois[56]. »

Comme l'auteur de *René*, Lamartine méprise à ce point les Arabes que chez eux, dit-il, « tout homme crédule ou fanatique peut y devenir prophète à son tour[57]. »

Car ces gens là sont « simples », explique Renan : « En toute chose, la race sémitique nous apparaît comme une race incomplète par sa simplicité même. Elle est, si j'ose dire, à la famille indo-européenne ce que la grisaille est à la peinture, ce que le plain-chant est à la musique moderne, elle manque de cette variété, de cette largeur, de cette surabondance de vie qui est la condition de la perfectibilité[58]. »

Des « serpents », « vipères », « dragons », « démons » de la *Chanson de Roland* aux « infidèles » des papes et aux « simplets » de Renan, quelle continuité ! Matraquée pendant dix siècles par une propagande forte de l'autorité de l'Église et auréolée du prestige des écrivains les plus célèbres, comment l'opinion publique aurait-elle accueilli avec sympathie, au XIXe siècle, le retour, combien paisible pourtant, humble et discret, des lointains descendants des Sarrasins ?

Car ils reviennent, mais dans quel état ! Fini le temps des joyeuses cavalcades, de Madrid à Cahors et de Séville à Aix ! Abandonnant, dans les montagnes du Rif ou sur les hauts plateaux de l'Atlas, ces rapides coursiers qui semèrent la terreur chez les Wisigoths, les Savoyards et les Ibères, ils vont à pied de ville en ville, portant sur le dos quelques tapis et un baluchon plein d'objets « exotiques » : bijoux, statuettes, épices... A Paris, en 1866, on signale quelques marchands ambulants — l'avant-garde... suivie, dans les années 1900-1905, d'un premier contingent de manœuvres (mines, travaux publics). 1914 : 30 000 « Nord-Africains » séjournent en France[59].

Tout occupés à dénoncer « l'envahissement progressif de la France par les étrangers[60] » — Italiens, Polonais, Belges, Allemands... —, à exiger leur expulsion, parfois à organiser un pogrom (à Aigues-Mortes, en 1893, contre les Italiens), les autochtones ne remarquent guère, au début, la présence des « Barbaresques » : ils ont d'autres « métèques » à fouetter.

Mais peu après la Première Guerre mondiale, c'est la stupeur — la panique : en 1931, les Maghrébins ne sont encore que 102 000 — soit 2,8 p.100 de la population étrangère, très loin derrière les Italiens (808 000), les Polonais (507 000) et les Espagnols (351 000)[61] ; mais si les « Polacks », les « macaronis » et autres « indésirables » ne sont pas épargnés, du moins sont-ils devenus familiers : établis en France depuis un demi-siècle, parqués dans des ghettos et chargés des plus sales besognes, ils irritent, ils dégoûtent, mais n'inquiètent pas vraiment. Les « Arabes » effraient, et polarisent sur eux la colère d'une population touchée par la crise économique de 1929, puis par la récession des années 1934-1936.

Comme le rappelle R. Schor, l'opinion, de nouveau, se déchaîne : ces « bicots », ces « sidis », ces « mangeurs de couscous » mettent la patrie en danger. Parce que, selon *le Peuple*, quotidien de la CGT, ce sont des « âmes primitives », à la « sauvagerie naturelle », que « leurs tendances naturelles de paresse, insouciance, inconstance (livrent) à toutes les misères sociales ». « Sans hygiène », « syphilitique » et « tuberculeuse », cette « racaille étrangère » fait de la France un « dépotoir »[62].

Physiquement « repoussants » (« Partout, ils ont le même aspect sordide, le même visage inquiétant »), malsains, socialement « dangereux », ces « indigènes », estime un juriste, ne valent « absolument rien[63] ». C'est bien l'avis de Jean Giraudoux : « Les Arabes (symbolisent) ces races primitives ou imperméables, dont les civilisations, par leur médiocrité ou leur caractère exclusif, ne peuvent donner que des amalgames lamentables[64]. »

Cinquante ans ont passé, mais d'une époque à l'autre, les fantasmes circulent, se répondent, s'échangent — identiques.

1936 : « L'invasion, il faut le dire, est supérieurement dirigée et organisée. Elle semble résulter d'un plan concerté » (Charles d'Héristal). « Une race nouvelle est en train de se constituer » (Joseph Aynard). « La France est condamnée à l'envahissement des étrangers » (*l'Action française*)[65].

1983 : « Il faut arrêter cette invasion » (tract RPR-UDF, XVIIIe arrondissement). Toulon ne doit pas être « la poubelle de l'Europe » (tract du maire UDF de Toulon[66]). « La patrie n'est pas un hôtel de passe pour six millions d'étrangers » (Le Pen, à Compiègne). Le même, à Aulnay : « Plutôt que de faire balayer la neige en hiver par un Sénégalais, mieux vaut utiliser des robots[67]. »

1986 : « L'invasion des étrangers est inéluctable. Encore s'ils étaient de race latine et portaient en eux le signe du christianisme. Il n'y aurait qu'un moindre mal » (*Clarté*[68]).

Mais ce ne sont que des « métèques » et, d'hier à aujourd'hui, ils font peur.

1936 : « La crapule étrangère pille, corrompt et assassine » (Léon Daudet). « Aujourd'hui, qui surine les passants aux confins de la Villette et qui pique jusqu'au foie la môme feignasse au boulot ? C'est Ahmed ben Mohamed, importé à grand frais du désert africain » (*l'Œuvre*). « Cette population de désœuvrés livrés à eux-mêmes sans surveillance devient un danger véritable pour les femmes et les enfants qui n'osent plus s'aventurer seuls dans les lieux déserts » (Rapport de l'Office de placement de Nancy[69]).

1983 : « Ce sont principalement les Noirs et les Arabes qui achètent des armes. Pour tuer... » (Le Pen, au *Midi libre*, 5 juin). « Il faut en finir avec la délinquance bronzée » (tract UDF à Saint-Étienne). « Exigeons le droit à la sécurité » (légende accompagnant une tête d'Africain, sur un tract électoral de Jacques Dominati, IIIe arrondissement[70]).

1985 : un instituteur, dans l'Isère, frappe l'un de ses élèves algériens : « Ce ne sont pas les Arabes qui vont faire la loi en France[71]. »

1986 : *le Méridional* dénonce « cette faune étrangère qui assaille, pille, viole, vole et de surcroît tue, terrorisant nos concitoyens[72]. »

Candidat indépendant aux élections cantonales du Mas-d'Azil, un J.-M. Boineau annonce, dans un tract : « Si j'étais président de la République : je demande aux savants de trouver ou inventer un virus mortel pour les races noires et basanées de l'espèce humaine, ensuite je le fais répandre » (affaire classée par le procureur de la République[73]...).

Les fantasmes ont la vie dure

Non, dans les têtes, rien ne change. Même si, tout autour, tout change. Même si les Françaises, que personne n'a égorgées ni violées, se disent, dans l'ensemble, plutôt heureuses. Même si des millions de gosses, pas terrorisés du tout, jouent joyeusement dans les cours de récréation. Même si, grâce à l'apport démographique des étrangers, et à leur labeur, la France ne se porte pas trop mal.

N'empêche : les fantasmes subsistent. Plus têtus que les faits. Aveugles et sourds, comme Freud l'a montré, aux leçons du réel. Les ignorant absolument, comme ils se moquent du temps. Et trouvant toujours, au contraire, quelque prétexte pour se justifier.

Par exemple, le nombre. Armés de leurs calculettes, les paranos s'excitent, jonglent avec les millions et crient au raz de marée. Quand les chiffres les plus officiels devraient les apaiser : les Maghrébins sont 1 416 000 (Algériens : 796 000, Marocains : 431 000, Tunisiens : 189 000) ; mais leur pourcentage dans l'ensemble de la population n'est guère élevé : 2,60 p.100 en 1988[74]. Invasion, vraiment ?...

Ils font venir leurs femmes, leurs enfants ? L'immigration familiale est en baisse : 19 814 personnes en

1981, 16 200 en 1986[75]. Les Maghrébines font plus d'enfants que les Françaises ? Oui (et tant mieux : sans l'apport démographique étranger, la France ne compterait aujourd'hui que 38 millions d'habitants[76]) ; mais elles en font moins qu'avant : en quinze ans, la fécondité a diminué de moitié chez les Algériennes et, dans la mesure où elles s'intégreront davantage, travailleront, vivront mieux, elles n'auront pas plus d'enfants que les autres[77]. Invasion, vraiment ?

Mais qu'importent les chiffres, quand on délire ? Qu'importe ce pourcentage dérisoire d'Algériens — 1,47 p.100 de la population totale —, quand la passion, la haine ou la peur l'emportent sur la raison ? « On va vers les 20 p.100, affirme sans rire B. Mégret... Le vaisseau est investi de l'intérieur... » (par les rats ?). Physicien à ses heures, P. Chaunu explique qu'on a affaire à « un problème de vases communicants : ils seront bientôt cent millions au Maghreb, ils n'y tiendront pas tous... Le jour où ils déferleront... Bien sûr, il ne s'agit pas de dresser des miradors aux frontières, mais... le problème est réel, il ne faut pas se laisser submerger... »

« Si l'on ne réagit pas, prophétise A. Touraine, dans cinq ans, c'est Chicago » ; bon prince, il accepte d'en intégrer « 1 à 2 millions, pour être plus forts ». Autrement dit, d'en exclure (d'en renvoyer ?) 2 millions... « C'est vrai, il faut faire attention », enchaîne Georgina Dufoix — qui, elle, essaie de faire attention à ce qu'elle dit : n'est-elle pas de gauche ?... « Un dialogue est nécessaire avec les communautés arabes... Nous nous influençons les uns les autres ; mais de là à ce que les Françaises portent le tchador, il y a un pas que nous ne franchirons pas ! » On le franchira d'autant moins qu'on en expulsera le plus possible : « 500 000 chômeurs, 100 000 clandestins ! », rêve à voix haute B. Mégret, qui imagine déjà charters, trains, galères ramenant vers leurs douars d'origine « barbaresques » et « négrillons »...

A les écouter tous divaguer — G. Dufoix, les yeux perdus dans les nuages qui passent au-dessus du boulevard Saint-Germain, comme si quelque révélation céleste allait l'illuminer, A. Touraine, jouant nerveusement avec un crayon, les pieds sur son bureau, comme s'il s'apprêtait à le basculer sur le premier envahisseur venu, B. Mégret, raide comme une trique, énumérant froidement les mesures que le Front national prendrait, s'il venait au pouvoir : « On purge le pays des clandestins et des délinquants, on inverse les flux migratoires, on ne renouvelle pas les cartes de séjour, on renvoie les chômeurs en fin de droits... Non, non, cela n'aurait rien d'une vision dantesque... Tout juste Orly au mois d'août... » — oui, à les entendre égrener leurs fantasmes, j'ai presque envie de les plaindre.

Car ils y croient. Comme y croient tous ceux qui n'ont pas leur savoir et qui, au café du Commerce, partent en guerre contre les Arabes, dans les mêmes termes qu'Urbain II, saint Bernard ou Luther. Quelque chose comme une frayeur passe dans le regard — d'habitude si froid, si métallique — d'A. Touraine, quand il évoque la « catastrophe » d'un Harlem français — sa voix enfle, il me fixe, tape du poing sur la table, et finit par dire n'importe quoi : « A Marseille, il y a trois ans, c'étaient les Français qui injuriaient les Arabes, maintenant, c'est le contraire » (est-ce mieux, est-ce pire ? La sociologie a de ces mystères...) ; G. Dufoix frémit, quand elle chasse précipitamment de son esprit l'image d'une Française bâillonnée par un tchador ; et même si P. Chaunu se croit obligé d'atténuer son propos : « Vous savez, la crainte fait partie de l'amour ! », l'amour qu'au téléphone il manifeste aux Maghrébins le fait plutôt trembler que roucouler : « 100 millions ! Ils n'y tiendront pas tous ! »

Panique générale. Chez ces intellectuels, comme chez beaucoup d'autres : derrière l'Arabe se profile, comme il y a mille ans, l'infidèle — le musulman. Avec ses « coutumes », ses « traditions ». Ses pratiques de « sauvage ».

L'islam — ou l'obstacle absolu. Mur plus incontournable, plus infranchissable, que le mur de Berlin — et sur lequel ils achoppent tous.

« Il n'y a pas d'homo islamicus »

De cet islam qui les effraie, la plupart, manifestement, ne connaissent rien. Pas plus la spiritualité qu'il apporta à un peuple, que l'extraordinaire essor de la raison, qu'il favorisa : « La condition préliminaire du savoir est le doute », disait, bien avant Descartes, Ibrahim an-Nasam (IXe siècle)[78]...

Considérant cette religion de l'extérieur — et chez les plus pauvres, les moins cultivés, non pas les mystiques ou les maîtres spirituels, mais des paysans déracinés —, ils la réduisent à quelques rites, quelques clichés, à la façon des médias : femmes voilées (le tchador...), femmes enfermées, prières publiques qui bloquent la circulation, mosquées (« Des gens s'inquiètent, observe René Rémond : "On ne va plus voir que des mosquées."... C'est une interrogation légitime, à laquelle il faut répondre »...), polygamie, surtout. Chez les hommes (est-ce un hasard ?...), l'« argument » revient continuellement.

Par exemple, P. Chaunu : reconnaissant, du bout des lèvres, que l'arrivée des Italiens provoqua en France quelques « crispations » (un pogrom, une « crispation » !), il ajoute aussitôt que « les problèmes sont très différents avec les musulmans : quand vous avez quelqu'un qui arrive avec ses quatre femmes et qui les boucle dans une pièce..., que vous voyez cet Iranien qui épouse une idiote dans un asile, acquiert notre nationalité, puis fait venir toutes ses femmes, et que cela fait, avec ses gosses, soixante-seize Français d'un coup... non ! On peut être musulman selon son cœur, je n'ai rien contre (*évidemment, cela ne se voit pas !*), mais pas polygame ! (*L'adultère est-il plus chrétien ?*) La culture des marabouts ? Pas ici ! Pas sur le sol de France ! » (*Mais la culture des curés qui bénissent des canons, pourquoi pas ?*)

Intellectuels « distingués » ou « Français moyens » : dès qu'il s'agit de l'islam, ils bêtifient. Et pontifient : jugeant, schématisant, méprisant, parlant avec d'autant plus d'assurance qu'ils ne savent pas de quoi ils parlent. Et qu'ils seraient bien incapables de préciser quel islam ils rejettent : l'islam intégriste ? l'islam moderniste ? l'islam tel qu'il est pensé et vécu par un musulman laïque, professeur à la Sorbonne ? Tel qu'il est pratiqué par un paysan du Nil ? Par un ouvrier de Renault ? Autant de conditions sociales, d'époques historiques, de sociétés (en mouvement, en déclin) — autant d'islam(s).

Même l'orientaliste Bruno Étienne semble parfois l'oublier[79]. Évoquant le « refus de l'altérité » dans les sociétés musulmanes, il donne comme exemple ces « rares Français qui ont réussi, non sans mal, à obtenir la nationalité algérienne » et ajoute : « Force est de constater aujourd'hui que pour être citoyen à part entière dans la quasi-totalité des États arabo-musulmans, il faut être indigène, autochtone (pourquoi cette redondance ?...), arabe et musulman. » *Non sans mal... force est de constater...* : quelle assurance (mandarinale) pour dire n'importe quoi !

Il est vrai qu'à l'époque de Boumediene — dans une Algérie où le régime, pour mieux occulter l'injustice sociale et les inégalités croissantes, célébrait la « spécificité arabo-musulmane » et, faute de donner à chacun un logement, construisait pour tous des mosquées — l'intégration d'un étranger n'allait pas de soi : une circulaire rendit très difficile la « conversion » des Européens qui désiraient épouser une Algérienne...

Mais à l'époque de Ben Bella, dans une société toute frémissante de sa liberté retrouvée, ouverte et généreuse, jamais l'islam ne servit de repoussoir ni de prétexte pour écarter qui que ce fût.

De 1962 à 1965, aucun Français désireux d'obtenir la nationalité algérienne ne se heurta à un refus. Ni à une longue attente : j'en parle d'expérience, et pas seulement pour moi. Certes, les premiers à la demander avaient déjà prouvé, pendant la guerre, leur attachement à la cause de l'indépendance ; mais le pouvoir politique, dans une société aussi marquée par la religion, aurait pu arguer de leur « gauchisme » ou de leur marxisme pour les tenir à distance, ou à l'ombre. Il ne le fit pas. A aucun moment. Par générosité ? Mais les « bons sentiments », s'ils peuvent intervenir quand il s'agit d'une mesure individuelle, n'ont pas leur place en politique.

Or l'octroi de la nationalité algérienne à un certain nombre de Français fut *aussi* un acte politique : beaucoup d'entre nous occupèrent des postes en vue — dans les médias (moi-même, à la chaîne d'expression française de la RTA, dirigée par un Français jusqu'en 1965), les cabinets ministériels (Hervé Bourges fut directeur du cabinet de Ben Bella), les services publics (hôpitaux, notamment).

Mieux encore : comme à l'époque de la Révolution française, lorsque des étrangers, « ennemis de la tyrannie », furent invités à siéger comme *citoyens français* dans les assemblées politiques, des Français non naturalisés eurent des responsabilités officielles : André Mandouze fut directeur de l'enseignement supérieur, Gérard Chaliand, rédacteur en chef adjoint de l'hebdomadaire *Révolution africaine*... Dans les grands moments de son histoire — moments dramatiques (guerre, invasion), révolutionnaires ou de profonde transformation, quand rien ne se fige encore, ni ne se sclérose —, aucune société, quelle que soit son idéologie, ne donne dans le légalisme, ou le formalisme obsessionnel : imagine-t-on de Gaulle écartant un Manouchian de la Résistance parce qu'arménien, ou les premiers « Français libres », à Londres, occupés à réformer le Code de la nationalité ?

A ceux qui les rejoignaient, les maquisards des djebels, comme les résistants du Vercors, ne demandaient pas leurs papiers, mais des preuves. Et des actes. Non pas : « Qui es-tu ? », non pas : « Qui est ton père ? », mais : « Qu'as-tu fait ? » et : « Que peux-tu faire ? » C'est plus tard, beaucoup plus tard, quand il n'y a plus rien à faire (ou qu'on veut faire tout autre chose), qu'on s'inquiète, éventuellement, de savoir qui est qui. Et que commence le règne des inquisiteurs, des bureaucrates et des guichetiers.

L'islam des maquis, l'islam de l'indépendance, l'islam des colonels : c'est — et ce n'est pas — le même islam ; si les textes sont les mêmes, leur interprétation a changé. Comme elle changera encore, en Algérie et ailleurs. Servant, tout aussi bien, à justifier l'entreprise privée qu'une économie dirigiste, le capitalisme que le socialisme (avec ou sans guillemets). Et s'accommodant, dans l'ordre éthico-social, de la monogamie comme de la polygamie (qui n'est autorisée, dit le Prophète, que si l'homme peut traiter chacune de ses femmes avec autant d'équité), de l'observance du ramadan comme de sa suppression (puisque les musulmans peuvent interrompre le jeûne pendant la guerre, et qu'actuellement, expliqua en substance il y a une vingtaine d'années l'ex-président Bourguiba, « puisque nous sommes en guerre contre le sous-développement, rien ne nous oblige à jeûner »...).

Changer, tout en protestant qu'elle reste la même : c'est la loi de toute idéologie. Du christianisme, du marxisme, comme de l'islam.

« (L'islam) n'est pas plus incapable qu'une autre idéologie de s'adapter ou d'être adapté à des nécessités nouvelles, écrit Maxime Rodinson. Toute l'histoire intellectuelle du Moyen Âge le prouve. Il n'est cause ni de stagnation, ni de cruauté, ni de fanatisme, ni d'arrêt du progrès social, ni d'emprisonnement de la pensée libre...

« Il n'y a pas eu un islam, mais vingt, cent islam(s) différents par bien des points... L'homme des sociétés musulmanes n'est ni le singe ou le robot que dépeignaient les colonialistes, ni l'ange en communication directe et immédiate avec le Ciel qu'imaginent les naïfs, les apologètes et les esprits mystiques... L'histoire nous le montre engagé dans des luttes et des travaux qui sont les luttes et les travaux communs à toute l'humanité, avec le même type d'aspirations, de réactions, de conceptions, d'illusions... qui sont le bien commun des hommes. Il n'y a pas d'*homo islamicus*[80]. »

Nul, parmi les orientalistes contemporains, ne l'a mieux compris ni expliqué que Maxime Rodinson. Peut-être parce qu'à la connaissance théorique de l'islam s'ajoute, chez lui, la compréhension, de l'intérieur — vivante, fraternelle — d'un peuple qui ne lui est pas, de par sa propre histoire, étranger.

C'est assurément cette intimité qui manque à la plupart de ceux qui discutent dogmatiquement de l'islam, en faisant un absolu, quand sa vérité est relative à une époque, à une société — bien plus : à une personne. A la limite, chaque musulman (comme chaque chrétien) réinterprète le message du Prophète (de Jésus) à la lumière de sa propre vie.

« Lis ! »

L'islam que j'ai connu n'est pas l'islam passionnel des jeunes déshérités d'Iran, qui, n'ayant rien à perdre que leur misère, ont tout à gagner — le paradis — en mourant sur le champ de bataille. Ni l'islam superstitieux de paysannes analphabètes, grugées par des marabouts cupides (comme de vieilles Siciliennes peuvent l'être par d'habiles « monsignore »). L'islam que j'ai vu pratiquer autour de moi, dans la famille de Fadéla, à Skikda, Alger ou Paris, est un islam ouvert, tolérant, cultivé, à l'image même de cette famille.

A sa tête, Baba — le père de Fadéla, Farida, Zoulikha, Hamdane, Didine... Un homme qui s'éleva, d'un même mouvement, dans la connaissance et dans la foi. Orphelin de père à douze ans, chercha-t-il un réconfort dans la religion ? Toujours est-il qu'il y trouva une incitation permanente à s'instruire. « Lis ! » : cette injonction de Dieu à Mohammed, il la fit sienne ; étudiant à la Zitouna de Tunis (si pauvre, au début, qu'il ne s'offrait un beignet que le dimanche, quand il n'achetait pas le journal), il s'initia à la théologie, à la philosophie, à la littérature arabe et européenne (il lut, en traduction, Shakespeare, Voltaire, Diderot...) et, à ses moments perdus, apprit le français. Assez, bientôt, pour lire *le Monde* aussi bien qu'*Al-Ahram*...

Marié, père de famille, gérant un commerce pour vivre, et faire vivre, il se préoccupa, avant tout, de développer et transmettre le savoir qu'il avait acquis. Très lié aux oulémistes (ces docteurs de la foi, qui propageaient un islam rationaliste et moderniste), proche du cheikh Ben Badis, il dénonça le mouvement des marabouts qui, encouragés en sous-main par les autorités coloniales, prêchaient, eux, un islam fataliste, à base de superstitions et de pratiques magiques.

Respecté par tous dans sa ville, mais suspect à l'occupant, Baba exerça à Skikda un véritable magistère moral et spirituel : on le sollicitait comme arbitre dans des litiges, on lui confiait ses « problèmes ». Probablement parce que, au lieu de réciter le dogme, il savait toujours l'adapter aux circonstances et aux capacités de chacun : à l'un de ses concitoyens, qui lui avouait que, s'il observait le carême, il lui fallait, quand même, boire le soir un verre de vin, il conseilla, simplement, de faire comme il pouvait...

Homme de savoir et de foi, citadin, et appartenant

à une classe — la bourgeoisie éclairée — qui commençait à compter politiquement (Ferhat Abbas, Ben Khedda...), mon beau-père ne vécut pas l'islam comme une position de repli, mais comme un tremplin ; il n'y chercha pas un refuge contre les malheurs du temps, il s'en servit pour mieux être de son temps : fils et filles, nièces et neveux, il veilla que chacun s'instruisît et, pendant la guerre, en envoya quelques-uns (quelques-unes) poursuivre en France leurs études supérieures.

Le savoir, avant toute chose. Et pour aller loin : chirurgien, médecins, ingénieurs, biologiste, anesthésiste..., les uns et les autres occupèrent d'abord les seules places que l'ordre colonial laissât aux « musulmans » (essentiellement, les professions libérales), puis celles que le nouvel État offrit généreusement : l'un des neveux de Baba est aujourd'hui ambassadeur, l'autre, conseiller d'ambassade...

Vivre l'islam comme une religion progressiste fut la meilleure façon, pour la bourgeoisie d'avant l'indépendance, de s'affirmer comme classe dirigeante potentielle, et de tenter sa chance. L'histoire ne répondit sans doute que partiellement à cette attente, puisque, aussitôt après les accords d'Évian, un groupe de petits-bourgeois arrivistes et de paysans parvenus s'empara des commandes : s'ils n'avaient pas de culture, ils avaient les armes. Mais cet échec — relatif — ne modifia nullement, au contraire, les positions idéologiques des bourgeois éclairés : face aux nouveaux riches, qui s'efforçaient d'imposer un islam passéiste (strict respect du ramadan, substitution du vendredi au dimanche...) — un islam d'autant plus rigoureux sur la lettre qu'ils en ignoraient l'esprit —, leur modernisme, aujourd'hui plus discret, reste leur « spécificité ». Quelque chose comme une position de repli, et d'attente.

Toujours musulman, et toujours progressiste, le père de Fadéla continue de vivre sa foi comme autrefois : avec la plus grande intelligence. La plus large tolérance. Celui qu'un Européen – l'apercevant avec son fez et, parfois, une djellaba – prendrait (peut-être) pour un « fanatique » ou un « rétrograde », m'accueillit sans réserve dans sa famille, quand j'épousai Fadéla : en 1963, juste à la fin de la guerre qui l'avait, comme tant d'autres, durement marqué, il y fallait une très grande générosité.

Lors de la répression qui s'abattit sur le Constantinois à la suite des manifestations (pacifiques) du 8 mai 1945, Baba, en effet, faillit périr. Guidée par des pieds-noirs excités, la soldatesque française, déchaînée, se répandit à travers la ville, saccageant les magasins des « musulmans », frappant, parfois jusqu'à la mort, ceux qu'on soupçonnait de nationalisme. Baba eut juste le temps de se cacher sous le comptoir quand la troupe força le rideau métallique qu'il avait baissé, et entra dans le magasin ; par chance, les coupons de tissus, jetés des rayons et éventrés à coups de baïonnettes, le dissimulèrent, le protégeant ainsi des barbares... En 1959, il ne dut qu'à l'amitié d'un agent de police, qui monta la garde devant le magasin, de ne pas être pris en otage, et exécuté. « En regagnant la maison, me dit-il, je marchais sur les cadavres. »

Trois ans plus tard, cet homme aurait pu refuser d'avoir pour gendre un Français : il m'ouvrit grand sa maison ; et, m'acceptant sans réserve dans sa « tribu », il ne me fit jamais sentir que j'étais « étranger ». Il ne me « cacha » pas – Skikda est une petite ville, où tout se sait, se commente, se colporte —, il « assuma » cette situation sans la moindre gêne, peut-être même — car cet intellectuel aime « provoquer » — avec un certain plaisir. Comme il se réjouit, plus tard, que Fadéla et moi, expressément et quotidiennement nommés, parlions à la radio à une heure de grande écoute, ou écrivions des livres qui firent quelque bruit : Fadéla ne dénonçait-elle pas, dans *les Algériennes*[81], la situation traditionnelle de la femme ?

Ce que j'admire le plus, chez mon beau-père, c'est l'extrême respect de l'autre qu'il manifesta toujours. L'acceptant tel qu'il est, avec sa culture et ses différences, n'essayant en aucune façon de lui imposer sa loi : il ne se choqua pas qu'en sa présence je continue de fumer, et ne se soucia pas de savoir si je faisais ou non le ramadan. Il vivait sa foi pieusement (il fit avec Yemma, ma belle-mère, le pèlerinage de La Mecque), mais cette piété, précisément parce qu'elle est vraie, le préserva toujours de toute intolérance.

Une question d'identité

Tous les musulmans, sans doute, ne ressemblent pas à mon beau-père, mais ce n'est certainement pas l'islam qui les empêche, s'ils vivent en France et désirent y rester, de s'intégrer. Il y a trente ans, J.-M. Le Pen ne disait pas (encore) le contraire : « J'affirme que, dans la religion musulmane, rien ne s'oppose, au point de vue moral, à faire du croyant ou du pratiquant musulman un citoyen français complet. Bien au contraire[82]... »

Pourquoi, en effet, un citoyen français ne pourrait-il pas prier ? La prière occupe une place importante dans le rituel du croyant : il la dit cinq fois par jour, après s'être purifié. Celle-ci, par exemple, que certains appellent « le Pater Noster de l'islam » ; elle ouvre le Coran, et Vincent Monteil en propose la traduction suivante[83] :

Au nom de Dieu, bienfaiteur et clément.
Louange à Dieu, qui est Seigneur des Mondes,
A Dieu, le Bienfaiteur et le Clément,
Le Souverain du Jour du Jugement !
Nous T'adorons, et Ton aide est notre demande.
Conduis-nous dans le Droit Chemin
De ceux à qui Tu as donné Tes biens,
Et non de ceux qui sont l'objet de Ta colère,
Ni des autres — de ceux qui errent.

Est-ce là un cri de haine ? Un appel à la guerre sainte ?

Les musulmans, assurément, peuvent prier n'importe où, mais pourquoi n'auraient-ils pas leurs lieux de culte ? Ceux qui s'épouvantent à l'idée (au fantasme) de voir le « sol de France », comme dit P. Chaunu, se couvrir de minarets (mais beaucoup de mosquées n'ont pas de minaret) montrent non seulement qu'ils n'ont aucun sens esthétique (ont-ils jamais admiré les mosquées de Fès ou de Damas ?), mais, surtout, qu'ils ne comprennent rien à la fonction de régulation sociale de la mosquée.

Comme l'église autrefois pour les Polonais du Nord (et pour les Polonais de la Pologne de Jaruzelski), comme le local de la section syndicale ou du parti, la mosquée est d'abord un lieu de réunion et d'expression : on s'y retrouve entre soi — on *se* retrouve —, on y est reconnu à part entière et, parce qu'on a conscience d'appartenir à un groupe, on a soi-même davantage conscience d'être quelqu'un — une personne.

Plus de dignité, une identité plus forte — sans oublier l'information qui s'échange, la culture qu'on y reçoit ou développe : loin de séparer, ou d'opposer, la mosquée intègre, ou permet de mieux s'intégrer à la société... française. L'expérience prouve que plus un être est enraciné dans sa propre culture, plus il est susceptible d'en acquérir une autre. Ce sont les sans-culture qui sont condamnés à vivre dans les marges. Épaves ou fauteurs de troubles.

Fréquenter une mosquée, faire l'aumône, observer le ramadan, aller (éventuellement) en pèlerinage à La Mecque, en quoi est-ce plus gênant pour l'ordre public que d'assister à la messe, payer le denier du culte, faire carême, aller à Lourdes, ou monter à genoux les marches du Sacré-Cœur ? A lire les derniers sondages sur certaines mœurs hexagonales, on regrette (presque) que la deuxième religion de France ne soit pas la première : si davantage de Français pratiquaient l'islam, ou s'en inspiraient, n'y aurait-il pas un peu moins de crasseux (67 p.100 avouent qu'ils ne se lavent pas tous les jours), un peu moins d'obèses (61 p.100 sont trop gros), beaucoup moins d'ivrognes[84] ?...

Il y aurait davantage de polygames, de femmes cloîtrées ? Mais il n'est nul besoin d'être musulman pour maltraiter sa femme : il suffit d'être un rustre. Apparemment, ils ne manquent pas, puisque les pouvoirs publics ont dû ouvrir des centres d'accueil pour les femmes que leurs maris battaient. Lesquels, bien entendu, ne sont pas plus chrétiens que les autres ne sont musulmans : ce n'est pas une religion, quelle qu'elle soit, qui détermine le statut des femmes, c'est la structure et le mode d'organisation d'une société. Au XIXe siècle, la plupart des Françaises étaient aussi « musulmanes » que peuvent l'être aujourd'hui des Saoudiennes, des Siciliennes ou des Calabraises...

Pourquoi, enfin, la polygamie se développerait-elle en France, quand elle n'existe quasiment plus au Maghreb (2 p.100) ? Quand, de l'autre côté de la Méditerranée, les transformations socio-économiques la font tomber en désuétude ?

Non, ce n'est pas l'islam, c'est un fantasme d'islam qui obsède beaucoup de Français. Un islam défiguré par leur peur ou leur ignorance, quand ce n'est pas leur suffisance.

A cet islam, il ne convient pas, en retour, d'en opposer un autre — « pur » — qui, tel quel, n'a jamais existé. Les rites (comme les dogmes) se vivent toujours dans une situation qui les relativise, les adapte, les modifie — les modernise. Telle l'idéologie, ils se transforment pour subsister — ou disparaissent.

Observés encore par les anciens, ils le sont de moins en moins, en France, par les jeunes. Selon une enquête publiée par la revue *Esprit*, en novembre 1986, « on constate un certain abandon de la prière quotidienne » : 48 p.100 des parents la font, 3 p.100 des enfants. 5 p.100 des musulmans, estime B. Étienne, participent à la prière collective du vendredi. Beaucoup plus célèbrent les fêtes religieuses : 95 p.100 d'adultes, 76 p.100 de jeunes, mais ces fêtes sont désormais plus « sociologiques » que religieuses.

Marginalisés, ou mal intégrés à la société française, les immigrés et leurs enfants, quelle que soit leur nationalité, trouvent aujourd'hui dans l'islam moins une foi qu'une identité. Être, pour eux, c'est être « arabe » ou « musulman », puisque aussi bien toute autre identité leur est déniée. S'inscrivant dans une histoire qui confine souvent à la légende, se réclamant (sur le mode fantasmagorique) d'une religion qu'ils pratiquent peu et ne connaissent guère, ils retrouvent ainsi une dignité qu'on leur refuse par ailleurs. Ne pouvant être citoyens à part entière, privés d'expression, ou d'existence politique, ils disent tout à la fois, par le biais de la revendication religieuse, leur désir d'être reconnus comme personnes et comme membres de la cité.

« Leurs discours, écrit J.-F. Legrain dans *Esprit*, est une ébauche de réponse à leur crise d'appartenance identitaire. » Et André Wormser dans *les Temps modernes* : « L'islam (de ces jeunes) est en quelque sorte laïc. Ils ont besoin de bonheur et d'égalité. Grâce à la force triomphante de l'islam d'aujourd'hui, grâce à l'éclat et illustration de l'islam d'autrefois, ils espèrent venir s'asseoir à la table du banquet de la France moderne, riches et honorés[85]. »

« Justice, Culture, Égalité »

Assis, pour l'instant, sur des tabourets, dans un local, près de la place Voltaire, que se partagent plusieurs associations maghrébines, Ahmed, Djamel, Fatiha, Brahim, Hadid ne disent pas autre chose.

Français ou étrangers, selon les caprices d'une loi ou les hasards d'une naissance, ils ont tous fait leurs études en France et sont, aujourd'hui, éducateur, animateur, secrétaire, étudiant en informatique, chômeur. Tous veulent vivre en France (« C'est notre pays »), sans rien renier de leurs origines.

Tel Ahmed, par exemple. Né à Paris, élevé dans une famille d'immigrés installés à la Goutte-d'Or depuis vingt-cinq ans, il revendique à la fois son appartenance algérienne et son intégration à la société politique française. « Je refuse l'expression *Français d'origine maghrébine*, dit-il. Parce qu'elle privilégie *Français* et marginalise le reste. Qui est tout aussi important. Si je disais *Français* tout court, j'aurais l'impression de trahir les miens. »

C'est pour la même raison que Djamel s'affirme arabe. « Quand je dis que je suis arabe, je dis que je suis le fils de mes parents. Je dis aussi que j'ai droit à ma musique, à mon accent, à la couleur de ma peau, aux nuits joyeuses du ramadan, même si je ne pratique pas. Quand je me définis comme arabe, ce sont toutes ces composantes de mon être que je revendique. Pourquoi renier son enfance ? L'exige-t-on d'un Corse ou d'un Alsacien ? »

Décontractés — « Nous ne sommes pas assis entre deux chaises, mais sur deux chaises, nous avons la chance d'avoir deux cultures » —, ces jeunes gens n'ont pas une âme d'ayatollah :

« Je suis athée, dit Ahmed. Les autres ne pratiquent pas plus que moi ; le cinéma nous attire plus que la mosquée. Seuls les vieux font la prière, il faut bien qu'ils se raccrochent à quelque chose... L'islam maghrébin n'est pas celui de Khomeyni, qui n'est pas l'islam... Ceux qui accusent l'islam d'intolérance feraient mieux de balayer devant leur porte — en dénonçant l'intégrisme catholique, celui du pape, par exemple, qui s'obstine à interdire l'avortement, la pilule, le divorce... »

S'ils ne font pas la prière, s'ils n'observent qu'« un peu » le ramadan (« A la maison, oui, mais dehors... »), si, à ma question sur un éventuel pèlerinage à La Mecque, ils répondent par un éclat de rire (« Et toi, tu passes tes vacances à faire trempette à Lourdes ? »), ils s'abstiennent presque tous de manger du porc (« Et après ? dit Hadid. Il y a des Français qui ne mangent jamais de tripes »), comme ils boivent plus volontiers une bière qu'un ballon de rouge.

« Tout cela, c'est du folklore, dit Brahim. La France se compose d'une mosaïque de coutumes différentes ; pourquoi cette fixation sur les nôtres ? Le vrai problème, ce n'est pas de savoir ce que nous mangeons ou buvons, ni même avec qui nous allons nous marier — Hadid fréquente une Beurette, moi une Alsacienne —, le seul problème, c'est d'obtenir qu'on nous considère comme des citoyens à part entière, que nous ayons ou non la nationalité française. Puisque nous vivons et travaillons ici, nous avons quelque chose à dire. C'est là-dessus que nous nous battons. »

Brahim me présente une carte, de couleur bleue, qui a l'exact format d'une carte d'identité. En haut : « République de France. » Plus bas, une devise : « Justice, Culture, Égalité. » Au centre : « Carte de citoyen. » A l'intérieur, les mentions habituelles (nom, prénom...). Au dos, la « Signature du citoyen commissaire de police ». En bas, une précision : « Cette carte attribue l'égalité des droits à tout citoyen de France, quelle que soit sa nationalité. Conformément à la Constitution française de 1793 et aux textes législatifs de la Commune... »

« Certains commerçants l'acceptent, commente Brahim. Les policiers ? Cela dépend... Bien sûr, c'est un symbole. Nous voulons être reconnus comme citoyens. Avoir droit de cité dans cette cité qui est la nôtre. C'est cela qui est important, ce n'est pas la nationalité... Les révolutionnaires de 89 ne disaient pas autre chose... »

C'est vrai : il y a deux siècles, il suffisait d'avoir vingt et un ans et d'être domicilié en France depuis un an pour bénéficier du statut de citoyen. La nationalité (qui n'apparut dans les textes qu'en 1874) ne conférait aucun droit particulier : au moins jusqu'à la fin du XIXe siècle (et même plus tard : les sujets coloniaux — sujets français — furent des sujets sans droits), seule comptait la citoyenneté, qui intégrait à la société politique. « La citoyenneté, écrit Christian Bruschi, professeur d'histoire de droit, constituait la plénitude de la qualité de Français, le Français optimal, en quelque sorte[86]. »

« Si nous ne sommes pas paumés, ajoute Djamel, c'est grâce au mouvement associatif, qui est, pour l'instant, notre meilleure forme d'expression politique. Nous essayons d'être présents dans nos quartiers, nous intervenons auprès des municipalités, nous posons les vrais problèmes (logement, installations sportives et culturelles, emploi...). Y en a-t-il beaucoup, dans ce pays, qui investissent autant que nous dans la vie locale ? Les vrais citoyens, c'est nous ! »

Ceux qui tremblent à l'idée de voir reconnu aux immigrés le droit de vote, ceux qui contestent que les Français d'ailleurs jouent pleinement leur rôle de citoyens ne commettent pas seulement une injustice, un déni d'humanité : ils rendent beaucoup plus pénible l'intégration de milliers de personnes — Français en instance — qui, de toute façon, ne partiront pas, comme ils entretiennent, par ce rejet, toute une série de difficultés que, par ailleurs, ils dénoncent.

L'action politique est en effet l'un des modes d'intégration les plus efficaces. Si le mariage *intègre* (sans supprimer, pour autant, les risques de « désintégration »), c'est dans une famille ; moins exposée aux fantaisies du cœur ou au conflit des cultures, l'action politique (ou syndicale) enracine plus solidement dans un groupe beaucoup plus large : en acceptant des devoirs, en exerçant des droits — au besoin, en prenant des risques pour les exercer (manifestations) —, en partageant avec d'autres un même projet, on agit comme *quelqu'un du pays* ; ce faisant, on devient peu à peu *quelqu'un de ce pays* — reconnu comme tel et se reconnaissant comme tel.

Tant il est vrai que ce n'est pas tant la différence des cultures qui marginalise que l'inégalité des statuts et des rôles dans la cité : dans l'action commune en vue d'un objectif commun, on n'est plus (ou beaucoup moins) « arabe », « européen », « antillais », on est d'abord syndicaliste ou militant politique ; et l'on modifie la qualité même du présent que l'on vit, dans la mesure où on l'inscrit et le perçoit dans une perspective d'avenir.

Comme il n'y a de militantisme qu'à gauche (les partis de droite n'ont que des électeurs, ceux d'extrême droite, des sectaires), comme seule une approche progressiste (historique) des réalités sociales permet de relativiser et de dépasser ce qui, ailleurs, est porté à l'absolu (la « race », la nation, la religion, les différences de culture), c'est par le biais d'un engagement politique de gauche qu'un Français « périphérique » ou un étranger peuvent réellement s'assimiler et se sentir chez eux.

« Algérien, de nationalité française »

Cet itinéraire, c'est celui qu'a suivi Khaled. Sans savoir, au début, qu'il le suivait, ni qu'il lui permettrait, à trente-trois ans, de s'assumer sans complexe comme Français — il travaille au secrétariat de rédaction du *Monde* — et comme Algérien — il est membre de la direction de Radio-Beur. Être et agir à gauche lui ont permis de se libérer, peu à peu, d'une situation riche, potentiellement, de toutes sortes de conflits.

Il naît près de Mostaganem, en 1955. Son père — l'un des premiers à rejoindre le FLN, en 1954 — est déjà interdit de séjour en Algérie : arrêté peu après le déclenchement de l'insurrection, torturé, jeté dans un camp, puis relâché, il est, après un bref passage à Paris, où il tente de reconstituer des réseaux, de nouveau arrêté, emprisonné au fort de Vincennes, puis assigné à résidence dans les Vosges. Il y restera, avec sa famille, jusqu'en 1962.

Le jeune Khaled a juste le temps de se faire quelques petits camarades, d'apprendre à lire et à écrire, la famille plie bagage : c'est l'indépendance, elle retourne au pays : « Je me souviens encore du nom de la Caravelle... *Château-de-Chambord...* Je n'avais que sept ans, mais je me rappelle très bien cette atmosphère de fête... Des milliers de drapeaux, les youyous, les cris de joie, les chants... »

Un an plus tard, on déchante : « A son arrivée,

mon père obtint un poste dans la police. Comme inspecteur. Mais très vite, il fut écœuré : en conflit permanent avec les résistants de la dernière heure, d'autant plus arrogants qu'ils se sentaient coupables, entouré de collaborateurs parfaitement incompétents, qui ne devaient leur nomination qu'à un cousin haut placé, il préféra démissionner — et nous repartîmes. »

Les Vosges, de nouveau. Khaled a huit ans. Il retourne à l'école. Puis entre au lycée : « Je n'ai pas vécu le racisme au quotidien ; au lycée Jules-Ferry, à Saint-Dié, nous n'étions que deux Algériens. On nous connaissait, on nous aimait bien. Je n'ai jamais subi de vexations. C'est venu plus tard, à Paris, quand je cherchais une chambre... » Parfaitement à l'aise parmi ses camarades français, prenant quelque distance, déjà, à l'égard des traditions familiales — « Au lycée, je mangeais du porc ; pendant le ramadan, j'allais fumer au café, ou chez des copains ; mon père, qui en vieillissant, s'était mis à pratiquer, restait très libéral. Il ne s'est fâché que le jour où il a appris que je m'étais inscrit aux Jeunesses communistes, mais j'ai tenu bon » —, Khaled reste pourtant très attaché à une Algérie qu'il idéalise : en 1973 — il a dix-huit ans —, il interrompt les études de mathématiques qu'il vient de commencer, et part faire son service dans l'armée algérienne.

« Ça m'a ouvert les yeux. La révolution agraire, je n'ai pas tardé à comprendre que c'était un gag ! J'ai vu des propriétés de 7 000 hectares qui n'étaient pas touchées. Et des terres, sur le point d'être nationalisées, que personne ne travaillait plus... J'ai vécu ces deux ans comme un psychodrame... Je suis revenu complètement démystifié. Lucide. Sans états d'âme. »

A son retour, Khaled demande et obtient, en six mois (« J'avais une copine, au ministère des Affaires sociales, qui a accéléré les démarches »), la nationalité française. S'inscrit à la Ligue communiste, milite, fait quelques « petits boulots », puis des remplacements au *Monde*... Il est « lancé ». Et, aujourd'hui, marié à une Française, complètement intégré.

« J'aime mieux dire, même si c'est banal : bien dans ma peau. Ou subjectivement intégré. Car il y a toujours des gens qui me considèrent comme un Arabe — un étranger — et d'autres qui ont l'air de prendre un malin plaisir à déformer mon nom. Mais tout cela m'indiffère... Je me sens chez moi à Paris, au journal, à Radio-Beur. Je ne me demande plus qui je suis : c'est clair. Je suis un Algérien de nationalité française, et bien décidé à me battre pour faire respecter mes droits — nos droits... C'est la politique qui m'a sauvé de la délinquance et du ghetto : fils d'un militant nationaliste, camarade de classe, et de manifs, de copains communistes, membre actif de la Ligue, puis de l'OCI et du PCI..., j'ai acquis une formation qui m'a permis d'y voir clair...

« Cela me désole toujours que tant de gens interprètent en termes de psychologie, ou de culture, des problèmes qui sont d'abord politiques. Ce n'est pas le couscous qu'il faut défendre contre le steak-frites, ni le minaret contre le clocher, c'est le droit de vote qu'il faut revendiquer ou exercer, c'est pour le droit à un habitat décent, à un travail correct, à plus d'égalité et de démocratie qu'il faut se battre...

« Non, poursuit Khaled, je ne renie pas la culture de mes parents : mon fils s'appelle Mehdi, ma fille, Amel... Mais je n'en ferai pas des musulmans (Mehdi n'est pas circoncis) : là où j'en suis, aujourd'hui, ce serait une régression... C'est caractéristique de notre génération : on se dit arabe quelque part, d'une certaine façon on l'est bien, mais tout nous pousse — le mouvement de la vie, simplement — à abandonner des pratiques liées à un autre type de société. A une autre mentalité. Quel sens cela a-t-il de vivre à Paris comme dans un douar des Aurès ? A quatre-vingts ans peut-être, mais à vingt, à trente, lorsqu'on a fréquenté l'école de son quartier, la fac...

« Les plus en avance, ce sont les filles. Elles sont de plus en plus nombreuses à remettre en question l'ordre patriarcal, à se marier avec un Français (400 en 1975, un peu plus de 1 000 maintenant, chaque année), à prendre la nationalité française. Le Pen peut se réjouir : d'une année à l'autre, dans les statistiques, le nombre d'Algériens diminue... Mais celui des Français augmente ! »

Des Polonais et des Italiens du début du siècle (pour ne pas remonter aux Romains, aux Teutons, aux Huns...) jusqu'aux Maghrébins d'aujourd'hui, c'est toujours le même scénario — le même émoi devant l'étranger, la même farouche résistance à son intégration, les mêmes faux problèmes et, pour finir, le même enrichissement. Car ces « christos », ces « judéo-polacks », ces « macaronis », ces « mangeurs de couscous » ont régulièrement empêché ce pays de sombrer dans la torpeur de l'indifférencié. De s'assoupir dans la morne rumination du même. De s'appauvrir par la reproduction stérile de l'identique.

Présence salutaire de tous ces autres — peaux brunes, peaux noires, peaux blanches, cheveux frisés ou raides comme des bambous, yeux verts, yeux bleus, yeux noirs... — qui renouvellent — mais oui,

Bruno Mégret ! — le stock génétique de l'hexagone (sans eux, il y a belle lurette que nous serions dégénérés), comme ils contribuent à la vitalité de sa culture. Aussi hétérogène, aussi diverse — aussi « bâtarde » — que l'origine de ses habitants.

II

SOUS LA CULTURE, LA RACE

On est bien français par quelque chose : si ce n'est pas la « race », c'est donc la culture. Évidence absolue, semble-t-il, et chaque jour invoquée : n'est-ce pas du haut de cette culture qu'observant, comme on dit, les « coutumes » et les « traditions » d'autres groupes, on les déclare inassimilables ? Si on les perçoit tels, et si différents de nous, n'est-ce pas qu'entre nous, justement, il y a quelque chose de commun ?

Peut-être, mais quoi ? Car on n'explique rien, quand on répond la *culture*. Mot à la mode, mais qui, dans son emploi courant, ne veut plus rien dire, puisqu'il dit tout et son contraire : les traditions et l'absence de traditions, le savoir et l'ignorance, l'activité artistique et sa caricature ; n'importe quel borborygme, n'importe quel pet passe aujourd'hui pour un « fait culturel », et le premier imbécile venu revendique haut et fort *sa* culture...

Je ne sais quel malin a jeté ce terme en pâture au grand public, mais je vois bien pourquoi il a fait fortune : mot-paravent, mot magique, il met tout le monde sur le même plan, anoblit (ou embourgeoise) les paumés du système, gomme les différences de classe (*culture ouvrière* passe mieux que *vie d'ouvrier*, *marginal* que *clochard*), transforme des miettes en festin, le dénuement en richesse et la bêtise en génie. On a une culture comme autrefois on avait une âme, et en culture, comme en Dieu, tous les hommes sont égaux...

Un concept fourre-tout

Culture : typique, peut-être, de cette idéologie à la guimauve que les préposés à l'abrutissement général propagent à pleins médias, le mot paraît clair, aussi longtemps qu'on ne cherche pas à l'expliquer ; il s'obscurcit déjà, quand on l'interroge seul ; lui accole-t-on un adjectif — *culture française* —, il devient incompréhensible. A ceux qui l'utilisent, bien sûr, et qui, en ajoutant de l'opaque à du confus, croient produire une évidence.

Ainsi, pour Louis Pauwels, la culture est-elle une « mentalité » : « Être français, c'est avoir une langue, une mémoire, une certaine tournure d'esprit. » P. Chaunu néglige la langue — « Les Alsaciens ont leur dialecte, ce qui ne les empêche pas d'être français » —, mais il privilégie « une certaine façon de sentir », et même, de « vibrer » (!) : « Celui qui ne vibre pas au sacre de Reims, à Jeanne d'Arc, à la fête de la Fédération n'est pas pleinement français », renchérit l'historien (qui n'est peut-être qu'à demi-français, s'il ne vibre pas à la Commune ou au Front populaire).

Moins lyrique, René Rémond assimile la culture française à « une échelle de valeurs... une façon de concevoir la vie, l'amour *(pourquoi pas : de le faire ?)*, les rapports hommes-femmes... » A quoi Georgina Dufoix ajoute « un art de vivre, le bien-manger, le bien-vêtir » *(en somme, Victor Hugo, Cardin et le beaujolais)*, toutes choses qui se retrouvent ailleurs, bien sûr *(qui mépriserait Goethe, la bière et les knödel ?)*, mais qu'« ici *(avouons-le)*, on incarne mieux que d'autres. »

Des émois littéraires de L. Pauwels (« Ah, quand je lis les *Mémoires d'outre-tombe*... ») aux vibrations mystiques de P. Chaunu ou aux petits plats cuisinés de G. Dufoix, le concept de culture apparaît comme un concept fourre-tout. Y compris chez des personnes qu'a priori on pourrait croire cultivées. Tous s'embrouillent, bafouillent, cafouillent. Comme si cette « façon de penser », comme ils disent, les rendait tout à coup stupides. A moins que, s'efforçant de penser sur cette « façon de penser », ils ne s'aperçoivent, stupéfaits, qu'il n'y a rien à penser, et restent cois.

Tel cet historien, qui, persuadé qu'il existe une « pensée française », me regarde, ahuri, quand je lui rétorque que je ne comprends pas cette expression : est-ce une pensée émise par un Français, mais qu'un Anglais ou un Chinois aurait pu concevoir ? Dans ce cas, elle n'a rien de français, sinon par accident. Est-ce, au contraire, une pensée qui n'est pensable qu'en France et qu'un étranger ne pourrait ni produire ni comprendre ? Mais alors, est-ce une pensée ?...

« Mentalité », « sensibilité », « culture »... : magie des mots, artifices du verbe. Même des intellectuels se laissent piéger. Pourtant, s'il est un terme qui ne prête pas à confusion, tant les anthropologues se sont appliqués à le définir, c'est bien le terme de culture.

Pris au sens des ethnologues et des sociologues, le

concept de culture désigne tout ce que l'homme ajoute à la nature, tout ce qui est socialement produit et acquis.

« Le mot culture, explique Edward Sapir, est employé dans un sens technique... pour signifier tous les éléments de la vie humaine qui sont transmis par la société, qu'ils soient matériels ou spirituels. Dans cette acceptation, la culture est coextensive à l'homme lui-même, car il n'est pas jusqu'à la vie des sauvages les plus primitifs qui ne s'inscrive dans un univers social, caractérisé par un réseau complexe d'usages, d'habitudes et d'attitudes conservés par la tradition. Les techniques de chasse du Bushman sud-africain, la croyance de l'Indien nord-américain dans la sorcellerie, la tragédie grecque de l'Athénien sous Périclès, la dynamo électrique de l'industrie moderne sont toutes sans distinction des éléments de culture à part entière... De ce point de vue, tous les êtres humains, ou du moins tous les groupes humains, ont une culture[87]. »

Il y aurait donc une culture française ? Oui, si la France constituait un groupe homogène, si tous les apports historiques, se mêlant et se confondant, avaient partout produit les mêmes structures de parenté, les mêmes lois d'échange matrimonial, les mêmes modes d'organisation locale, le même genre d'hommes et de femmes, avec les mêmes rôles dans la vie domestique, sociale..., le même rapport au travail, aux enfants... Oui — si la France était déjà le meilleur des mondes, sortie tout droit de quelque laboratoire « huxleyen »...

« Les trois France »

Sortie (par chance) des marmites cabossées et difformes de l'histoire, elle n'a pas l'unité qu'on lui prête : ses cultures sont aussi diverses, aussi contrastées que ses climats, ses paysages, ses populations. L'hétérogénéité, là encore, est la règle.

Que ces termes — « la France », « les Français », « la culture française » — n'aient sociologiquement aucun sens, parce qu'il y a au moins, sous cet angle, trois France, et davantage de cultures, c'est ce que démontre un démographe, Hervé Le Bras, et un historien, Emmanuel Todd, dans leur remarquable étude sur *l'Invention de la France*, parue en 1981[88], et complétée, en 1986 par *les Trois France*, d'H. Le Bras[89].

A l'aide de cartes, de chiffres, et de tous les recoupements que permettent les ordinateurs de l'INED, ils montrent l'inanité du discours habituel sur « la France », « les Français », et mettent à nu la permanence — séculaire — de nombreux particularismes culturels :

« Chacun des pays de France représente en fait une culture, au sens anthropologique du terme, c'est-à-dire une façon de vivre et de mourir, un ensemble de règles définissant les rapports humains fondamentaux, entre parents et enfants, entre hommes et femmes, entre amis et voisins. Aujourd'hui, la persistance d'écarts de fécondité importants entre régions, le maintien de différences étonnantes de mortalité entre départements indiquent que ni le chemin de fer, ni l'automobile, ni la télévision n'ont réussi à transformer la France en une masse homogène et indifférenciée. Du point de vue de l'anthropologie, la

Bretagne, l'Occitanie, la Normandie, la Lorraine, la Picardie, la Vendée, la Savoie et bien d'autres provinces sont toujours vivantes.[90] »

Si bien qu'on ne peut parler, par exemple, de *la* famille française : il en existe au moins trois types, expliquent H. Le Bras et E. Todd — la famille simple (nucléaire), qui prédomine en Normandie, en Champagne..., la famille complexe, où les aînés contrôlent étroitement l'âge du mariage (Bretagne, Pays basque, Alsace...), la famille complexe, mais beaucoup plus souple (Provence, Nord...).

A ces structures sont liées un certain nombre de traditions — manière d'être, de sentir, de faire... —, qui divergent profondément : ainsi, l'âge du mariage (« Depuis 1835, la carte (de ces) âges n'a guère changé..., les écarts entre régions restent les mêmes ; en 1950 comme en 1850, on se marie plus tard dans l'Est qu'en Aquitaine ou en Provence »[91]), l'attitude à l'égard des naissances illégitimes (fréquentes en Alsace, rares en Vendée), la présence, ou non, du jeune couple, dans la maison parentale (en Normandie, on ne cohabite pas, « dans la Manche, l'Orne, la Sarthe... semble exister un véritable tabou sur la cohabitation de parents et d'enfants mariés[92] », en Aquitaine, on ne se sépare pas), le choix du domicile conjugal (dans le Sud-Ouest aquitain, le mari s'installe chez sa femme, en Provence, la femme rejoint son mari), le travail féminin (« la carte des sages-femmes coïncide avec celle des sorcières d'antan »[93]), le divorce (rare dans l'Ouest breton), la façon de traiter les vieux (aimés dans le Sud-Ouest), les infirmes...

Vieilles souvent de plusieurs siècles, et résistant au nivellement du modernisme, toutes ces pratiques produisent des mentalités différentes, qui, en retour, les reproduisent : on ne pense pas de la même façon les rapports parents-enfants, lorsque, marié, on partage la maison familiale ou qu'adolescent on la fuit pour prendre une chambre en ville. On n'a pas la même image de la femme, selon qu'on la rejoint et s'intègre à sa famille, ou la soustrait à son milieu.

Comme on ne fait pas les mêmes choix politiques pour peu qu'on appartienne à une famille communautaire élargie (qui elle-même peut être une communauté démocratique ou autoritaire), ou à une famille nucléaire : la carte des votes et celle des structures familiales correspondent — « la répartition des votes ne change guère entre 1880 et 1980, écrivent H. Le Bras et E. Todd... En 1978 encore, la quasi-totalité des élus de la gauche viennent de deux régions : le Midi et le Nord, de la frontière belge à Paris.[94] »

On n'a pas, enfin, la même culture (intellectuelle), ni, à titre égal, la même image sociale, selon qu'on habite dans le Nord ou dans le Sud : « La France des Lumières, écrit H. Le Bras, est passée à l'ombre ; la France du Sud, qui ne parlait, ni lisait ni n'écrivait le français, est désormais la plus éduquée... Sur les bords de la Méditerranée, l'avocat ou le médecin sont en haut de l'échelle sociale ; dans le Nord et dans l'Est, l'industriel a plus de prestige.[95] »

Du Nord au Sud, d'Ouest en Est, « la dimension des familles, la pratique religieuse, la couleur politique..., la propension au suicide ou au crime, le nombre d'enfants naturels, l'éducation, l'industrie, l'immigration » varient absolument, écrit H. Le Bras[96], qui ajoute, avec E. Todd : « On ne meurt pas de la même façon en Provence ou en Bretagne, on n'est pas aussi fréquemment classé comme fou à l'Est qu'à l'Ouest... L'histoire française des mentalités est dans une large mesure mythique, parce qu'elle traite comme nationaux des phénomènes d'échelle régionale, enracinés dans des systèmes anthropologiques locaux.[97] »

Si l'analyse détaillée des comportements et des mentalités prouve l'existence, et la persistance, dans l'hexagone, d'une pluralité de cultures, la notion même de culture française apparaît vide de sens. Ou plutôt, elle n'a de sens (relatif) qu'à l'échelle d'une seule région et du cinquième de la population, qui, par ignorance, illusion idéologique et/ou délire mégalomaniaque, attribue à l'ensemble du pays ses propres caractéristiques : ce qu'on appelle la culture française est essentiellement la projection fantasmatique, aux dimensions de la France, de la culture parisienne — des pratiques, du mode de vie et de la mentalité qui prédominent largement à Paris.

L'illusion parisienne

S'il est une région, en effet, où les anciennes structures familiales se sont défaites, où les traditions (vestimentaires, culinaires, d'élevage des enfants, relationnelles...) se sont perdues, ou presque effacées, ne subsistant au mieux qu'à titre de bribes folkloriques, où les pouvoirs locaux, qui régulaient la vie sociale, l'ordonnaient et la protégeaient du pouvoir central, ont pratiquement disparu (qu'est-ce qu'un maire d'arrondissement à côté d'un maire de village ?), c'est bien Paris. Où s'agglomèrent et se côtoient, sans se rejoindre — sans former une véritable communauté —, des millions d'individus qui existent d'abord pour eux-mêmes.

Se regroupant, sans doute, à leur arrivée (les Savoyards dans le IIIe arrondissement, les Ardéchois dans le XIIe...[98]), les provinciaux, en devenant parisiens, ont peu à peu rompu, ou très largement distendu, les liens qui les unissaient encore à leur milieu d'origine, sans en nouer de nouveaux, ou d'aussi profonds ; les anciennes solidarités tribales, ou villageoises, se sont dissoutes, faisant place à des liaisons beaucoup plus lâches : aux parents, aux amis, aux camarades d'enfance ont succédé des « connaissances », des « relations », des « fréquentations » (souvent de bistrot).

Détribalisés, déstructurés, en partie « défamiliarisés », sinon même désocialisés (cf. les taux de délinquance, suicide, folie...), les Parisiens existent avant tout comme individus (un appartement sur deux, dans la capitale, est occupé par une seule personne, généralement une femme), ou, au mieux, par un couple.

Coupés de leurs arrières (même si, lors des vacances, beaucoup retournent au « pays », ce n'est qu'une façon très superficielle de « se ressourcer »), ils partagent, pour la plupart, le même présent. Soumis à des rythmes de vie identiques (métro, boulot, télé, dodo), logés dans les mêmes immeubles, se restaurant dans les mêmes MacDonald's, subissant le même inconfort (bruit, foule, presse...), ils ne peuvent survivre qu'en faisant de nécessité vertu, et de leur misère existentielle une richesse : condamnés à n'être que des individus, ils érigent l'individualisme en valeur suprême.

On a cent fois décrit cette culture, chacun en souffre quotidiennement (l'indifférence est telle qu'on peut mourir dans son logement, ignoré de ses voisins, être violé sur un quai de métro ou assassiné dans un train de banlieue sans que personne ne réagisse), mais ce serait une erreur de prendre la partie pour le tout — *des* façons d'être parisiennes pour des façons d'être françaises —, ou de construire, avec quelques traits, la figure — mythique — d'une « culture nationale »

On peut toujours, bien sûr, relever quelques constantes. Nancy n'a pas tort, lorsqu'elle remarque que « le rapport à la langue » n'est pas, en France, « purement instrumental » : « On dit : *une faute d'orthographe, une faute de grammaire*, on ne dit pas : *une erreur*. Comme si on commettait un péché — qu'on souligne en rouge... Souvent, les gens réagissent assez mal : ne serait-ce que par leur attitude — étonnée, moqueuse, offusquée... — ils vous font sentir que vous vous êtes trompé... » (De la même manière, excédée d'entendre les commerçants lui demander : « Qu'est-ce que vous dites ? », Rosa, au début, faisait ses achats dans un supermarché).

Nancy observe également, à juste raison, l'existence d'un formalisme assez rigide (« On dit : "Monsieur, Madame", le cas échéant, on ajoute le titre : "Monsieur le Directeur", on vouvoie »), un goût prononcé pour ce qu'elle appelle le « racialisme » (« On vous prend rarement pour vous-même, on se hâte de vous situer dans une catégorie — ethnique, sociale, professionnelle —, les gens eux-mêmes se présentent volontiers en se référant à un statut, ou à une institution : "Docteur Dupont"... "Martin, de tel journal"... »). Comme elle est choquée par le manque d'hospitalité (« C'est difficile d'être accueilli chez quelqu'un »), et la suffisance de bon nombre d'intellectuels.

Toutes ces observations sont justes, mais ponctuelles, elles ne valent qu'à l'échelle, très réduite, où elles ont été faites (la capitale, et davantage dans les milieux universitaires qu'ouvriers), mais même à cette échelle, elles sont loin d'être toujours vérifiées : il est des intellectuels modestes et accueillants... Élargies à l'ensemble de la population hexagonale, pareilles remarques n'auraient guère de sens.

Comme ne veulent rien dire toutes celles qui prétendent s'appliquer à 56 millions d'individus différents : « Les Français sont... » Elles sont aussi creuses que les généralités habituelles sur les Arabes, les Juifs, les femmes, *qui sont*... Aucun être n'est le porteur passif, inerte, d'une quelconque caractéristique ; tel trait, d'intensité variable selon les groupes, les classes, les régions, l'histoire personnelle..., ne compose pas, en s'associant à d'autres, le même profil. A la limite, chaque être est unique, et s'il est aussi, quelque part, le produit d'une culture, ce n'est jamais un produit fini — il se finit, il se parfait lui-même par ses propres expériences, ses échanges, le réseau des relations vivantes dans lequel il se situe, agit, réagit...

Les sondages : oui, mais...

C'est pourquoi les données que les sondages révèlent ne caractérisent pas *la* culture française. Un trait isolé ne fait pas une culture, des traits amalgamés, pas davantage ; les mêmes peuvent se retrouver dans des cultures différentes (le refus de l'étranger, par exemple, qui n'est pas le propre de l'hexagone), et, pris ensemble ou séparément, ils n'ont pas la même signification selon les contextes dans lesquels ils s'insèrent : n'être pas allé au concert en 1986 (c'est le cas de 91 p. 100 des Français[99]) n'a pas le même sens selon qu'on n'écoute jamais de musique, ou qu'on prend plaisir à suivre des émissions musicales... Se plaindre de manquer de tendresse (74 p. 100 des hommes[100]) peut signifier aussi bien qu'on n'a pas été aimé par sa mère, ou que sa femme est un dragon...

Certes, les sondages mettent également en lumière des caractéristiques qui ne prêtent guère à discussion, ni à multiples interprétations ; s'il est exact que 52 p. 100 des Français vont se coucher sans se laver les dents, que 49 p. 100 (seulement) prennent une douche plusieurs fois par semaine, et que 9 p. 100 ne se lavent qu'une fois par semaine[101], il est évident que la propreté n'est pas une obsession nationale... Pris pour ce qu'ils sont — des instruments de mesure ponctuels —, les sondages, lorsqu'ils sont bien faits, sont d'utiles indicateurs.

Mais ils peuvent avoir, malgré eux, des effets pervers. Se référant constamment aux Français (les sondages qui photographient les réalités sociales à une échelle plus réduite — région, ville — n'intéressent pas la grande presse et le public n'en est pas informé), ils suggèrent l'existence d'une masse homogène, où seules des pratiques d'intensité différente introduiraient une certaine diversité. Alors qu'à côté de manières de faire ou de sentir communes (83 p. 100 des Françaises refusent d'avoir des relations sexuelles avec un Africain[102]) les populations de l'hexagone en ont beaucoup d'autres qui les différencient bien plus qu'elles ne les rapprochent.

Le « Français moyen » est un mythe, ou une représentation commode, mais dépourvue de toute valeur opératoire. Même si, à l'aide de quelques chiffres exacts, on peut dessiner un portrait-robot : quelqu'un qui n'aime pas beaucoup faire l'amour le mardi (25 p. 100), fume peu la pipe (5 p. 100), prise davantage les grosses poitrines (38 p. 100), n'a guère de connaissances historiques (50,8 p. 100 ignorent quand Hitler a pris le pouvoir) et tient à son drapeau (78 p. 100 ne veulent pas de drapeau européen[103])... Ce portrait à la main, cherchez quelqu'un qui lui ressemble...

Les sondages ne sont pas faux, mais ils risquent de fausser les perspectives. En accréditant l'idée d'une culture commune. En incitant à des généralisations abusives. En dispensant d'une analyse plus fine. Par exemple, sur les divorces, qui ont augmenté de 100 p. 100 en dix ans ; en déduire que *les* Français divorcent de plus en plus n'a pas de sens : en 1975, la carte du divorce est encore la même qu'en...1896 — « le divorce a seulement progressé un peu vers le sud de la Loire où il atteint maintenant le Puy-de-Dôme, l'Allier, le Berry et le Loiret. Par compensation, il faiblit relativement au Nord[104] ». S'il a doublé depuis dix ans : où ? Au sud, au nord de la Loire ? Seule une étude très fine pourrait répondre. En rapportant le divorce à un ensemble de données culturelles propres à une région, à un type de famille, à une certaine organisation sociale...

Des mentalités très diverses

D'autres facteurs que les cultures régionales différencient les habitants de l'hexagone, et font obstacle, eux aussi, à l'émergence d'une culture commune.

Auvergnat, Cantalou, Parisien..., chacun, à l'intérieur même de sa propre culture, occupe une place très déterminée : il habite la ville ou la campagne, souvent la banlieue, réside dans une cité, un pavillon ou une villa, exerce une profession ou est au chômage, perçoit un salaire, des indemnités, peut-être une aide, ou rien... De cette position socio-économique dépend la qualité de sa vie, certes, mais aussi sa façon de penser, de sentir, d'imaginer... Le rapport à soi-même et à autrui, les dimensions mêmes de notre champ perceptif, le cours de notre vie mentale, ce que nous saisissons du monde, des autres et comment nous le saisissons..., cela est en grande partie déterminé par nos conditions matérielles d'existence.

« Ce n'est pas la conscience qui détermine la vie, mais la vie qui détermine la conscience. » Marx l'a démontré il y a longtemps, et les psychologues ne le démentent pas : plus petit on est, socialement, moins grand on voit, et moins loin ; nos réactions et nos désirs s'ajustent à nos possibilités, une sorte de régulation inconsciente s'opère, qui permet de supporter l'insupportable.

Beaucoup de Français ignorent, par exemple, les écarts réels de salaires — en général, ils les réduisent —, et lorsqu'ils apprennent que des stars médiatiques gagnent jusqu'à 230 000 F par mois, ils ne s'estiment pas autrement frustrés : vedettes, hommes d'affaires... appartiennent pour eux à un autre monde, et ce monde-là est si loin du leur, si irréel — une nébuleuse, en quelque sorte — que de ne pas en être n'apparaît pas comme une injustice. Mais sera perçue comme telle une prime plus élevée donnée à un collègue.

Ce qui irrite, choque, parfois révolte, c'est ce qui

est (ou semble) proche : n'importe qui se croit autorisé à dire n'importe quoi des enseignants — on dénonce leurs méthodes pédagogiques, leur prétendu absentéisme et, naturellement, la longueur de leurs vacances ; mais qu'un grand reporter ait une vie matérielle plus aisée (il gagne davantage, voyage, fonctionne à l'agenda et non à l'emploi du temps...) et jouisse de plus de libertés ne soulève pas de critiques : on l'ignore, on se meut sur une autre planète ; mais on connaît l'enseignant, ou on croit le connaître, ce peut être un voisin, les enfants en parlent, on a soi-même été à l'école — et lorsqu'on compare ses trente-neuf heures à ses dix-huit heures (tout en négligeant ses autres charges), inconsciemment on l'envie... Il n'y a de bouc émissaire qu'à portée de la main ; c'est toujours notre « prochain ».

Réflexions, jugements, préjugés, perception du temps et de l'espace, réactions affectives..., il n'est pas d'attitude qui ne porte la marque, et ne se heurte aux limites, de la place que nous occupons. Ainsi, des zones d'ombre et d'ignorance — d'une culture à l'autre, comme à l'intérieur de chaque culture — séparent les êtres ou les groupes, et c'est à l'intérieur de cercles très étroits (géographiques, professionnels, relationnels, mentaux...) que la plupart évoluent. Parcourant, à longueur de vie, les mêmes itinéraires, fréquentant les mêmes personnes ou le même genre de personnes (c'est dans un rayon de onze kilomètres qu'on choisit généralement son conjoint...).

Ces pratiques répétitives, en circuits fermés (ou très limités), produisent, chaque fois, une mentalité particulière — qui n'a rien de national, ni de spécifiquement français. Puisque propre à un groupe, à un sous-groupe, à une corporation, à une caste. Les cloisonnements sont tels que très peu d'information circule, d'un milieu à l'autre ; et la hiérarchie est telle que le champ des échanges est très circonscrit : on méprise ceux d'en bas, on craint ceux d'en haut, on se méfie des autres. Dans certains lycées, agrégés, certifiés, adjoints d'enseignement... déjeunent à des tables différentes...

Il n'y a pas trois France, comme dit H. Le Bras ; il n'y en a pas non plus 56 millions, mais — France des cols blancs et des cols bleus, France de gauche et France de droite, France religieuse et France laïque, France des privilégiés et France du quart monde... —, il existe toutes sortes de configurations « France », et autant de cultures.

Plus de racines, des antennes

Si ces ensembles sont peut-être en train de bouger, si certaines barrières tombent et si des particularismes s'estompent, ce n'est pas au profit d'une culture nationale. C'est exactement l'inverse : l'ouverture des frontières, la circulation croissante des marchandises et des personnes, des idées et des modes contribuent à brouiller les cartes (ou en dessinent d'autres) et rendent déjà désuètes, en partie, les références d'hier.

Dans une étude tout à fait remarquable, « Nouvel individu et interculturalité[105] », Paul Blanquart suggère qu'un nouveau type d'homme, et de société, s'ébauche actuellement : « On peut être coupé de son voisin géographique et relié à quelqu'un d'autre qui se trouve à des milliers de kilomètres ; une même ville peut être habitée de gens "branchés" différemment, qui la perçoivent et la vivent de façons variées... Il n'y a plus que des flux... En prise directe sur ces flux, sans le matelas protecteur des vieilles identités qui se délitent, l'individu classique est lui aussi en crise...

« Il ne fonctionne plus aux racines..., mais aux antennes, dans un univers fluide et aux références innombrables... Errant dans un supermarché où tout est accessible, pénétré de toutes parts par les ondes qui circulent, chacun s'identifie par les assortiments qu'il réalise... palette de valeurs d'importations variées et qui conduit à des comportements au syncrétisme toujours recomposé... »

« Bigarrure des comportements » et des mentalités par le bas et par le haut. Par les attaches — encore solides — aux micro-cultures qui nous façonnent. Par les liens, déjà multiples, avec des macro-cultures (européenne, mondiale). L'hexagone n'est déjà plus qu'une figure géographique ; il n'a jamais été, il sera encore moins, une figure culturelle.

L'œil du maître

Si l'on ne s'en aperçoit pas, c'est par inadvertance : on le regarde à l'envers. Par le mauvais bout de la lorgnette. Et à travers un prisme qui ne laisse voir que des ensembles. Des masses. Le prisme de l'État.

C'est lui qui nous induit en erreur : il légifère, parle, agit, comme si, de Dunkerque à Perpignan et de Brest à Colmar, il avait affaire à une même population. Indifférenciée. Indivise. Se modelant selon sa volonté. Et qu'il s'efforce de réduire à l'identique : par les usages administratifs qu'il lui impose (on accomplit partout les mêmes formalités, les mêmes cachets tamponnent les mêmes formulaires), par les parcours auxquels il l'oblige (école, service national), les techniques d'éducation qu'il met en œuvre (les mêmes programmes, presque aux mêmes heures, dans les mêmes écoles), les rythmes, quasi identiques, de travail et de repos, par le style même de ses interventions, englobant les uns et les autres dans une même généralité abstraite (« Françaises, Français... »), par cet ensemble de contraintes et de rites, l'État se comporte comme s'il avait en face de lui une même réalité. Comme si son discours et ses actes donnaient forme, sens et vie à une matière qui, sans lui, resterait amorphe, ou retournerait au chaos. Comme si le sociologique se réduisait au politique. Comme si, enfin, des différences séculaires, encore extrêmement vivantes, s'abolissaient magiquement par la parole qui les nie. Mystère de la transsubstantiation : comme le prêtre à l'autel, le politique dit : « Ceci est la France », et cela le devient...

La « culture française » est une chimère. La chimère de l'État. Fabriquée de toutes pièces dans ses arrière-cuisines par les idéologues à sa solde (Michelet), les clercs, les maîtres d'école, et propagée, aujourd'hui, par ses relais médiatiques. Machine de guerre contre les cultures régionales, contrepoids à la diversité anthropologique, justification mystificatrice d'une action centralisatrice, cette notion a pour fonction de convaincre des communautés différentes qu'elles sont semblables et de transformer en consonances des dissonances. Peu importe que pareille culture soit une fable : il suffit qu'on y croie — et, qu'y croyant, on accepte, sans trop rechigner, de se soumettre à l'ordre étatique.

Se sentir français ?

L'hétérogénéité des cultures, dans l'hexagone, explique pourquoi il est si difficile de répondre à la question : « Vous sentez-vous français ? », ou plutôt, d'expliciter ce qu'on entend par là.

On peut se sentir professeur (on fait cours, on a des devoirs à corriger, des leçons à préparer...). Ou journaliste (on fait des enquêtes, rédige des « papiers »...). Mais français ? On ne sent pas une abstraction, on ne vit pas une généralité — et l'on ne sait quoi dire, sinon quelques banalités, apprises à l'école ou entendues à la radio, réponses stéréotypées, de l'ordre du réflexe conditionné ; mais à peine a-t-on cité (récité) les propos officiels (« J'appartiens à une nation... Je vote, je fais mon service... »), et énuméré les droits et devoirs du citoyen, on ne trouve plus rien. Et pour cause : il n'y a rien. Ou autre chose — qui n'est pas « français », mais breton, auvergnat, polonais, russe..., ou qui relève de sa propre histoire et ne renvoie qu'à soi-même.

Excepté les pratiques administratives et les conduites civiques, toutes semblables, puisque imposées, c'est la plus grande diversité qui apparaît. Multiethnique, la société française est multiculturelle, et c'est une fausse question que l'on pose, lorsqu'on se demande, songeant aux immigrés, si elle peut le devenir : elle l'est. Et l'a toujours été. Offrant une extrême variété de mœurs, de sensibilités, de mentalités...

Si Français il y a, c'est comme citoyen. Mais comme le citoyen n'est pas tout l'homme, ni le tout d'un homme, un Français est toujours beaucoup plus, et autre chose, qu'un Français. Il vote, fait son service..., puis, ôtant sa livrée d'électeur, ou de soldat, il redevient lui-même et s'occupe des affaires sérieuses. Ou plutôt, de la seule qui compte : sa vie. Façonné par une culture particulière (il est corse, italien, catalan...), participant, à et de l'intérieur de cette culture, à toutes sortes d'activités très concrètes — qui le personnalisent et le valorisent (il travaille, aime, bricole, fait du sport, des enfants...) —, comment pourrait-il se reconnaître dans une identité aussi impersonnelle, aussi molle et floue que l'identité nationale, et se sentir français ? Par quel tour de passe-passe transformer en substance un substantif ? Un article de code en article de foi ? Une dénomination juridique en détermination subjective ?

De lui-même, il n'y songe pas. C'est autrui, éventuellement, qui le constitue comme tel. (« Tiens, un Français »), ou qui hésite à l'identifier (« Tiens, vous avez un nom arabe... ») et l'oblige, du coup, à se situer. A se définir. Ou encore, c'est le pouvoir qui, par le biais d'une sommation (un ordre d'appel sous les drapeaux, par exemple), lui signifie qu'il le considère comme français (cf. Alexandre Sanguinetti : « C'est la centralisation qui a permis de faire la France malgré les Français ou dans l'indifférence des Français. » Et Georges Pompidou : « L'histoire nous montre que notre peuple, voué par nature aux divisions et à l'individualisme le plus extrême, n'a pu, au cours des siècles, constituer la nation française que par l'action de l'État[106] »).

Mais, excepté les moments où l'État se manifeste — parfois brutalement (« La France a été faite à coups d'épée » [de Gaulle][107]), et en dehors de toute interpellation privée, comment se rappeler qu'on est français ? On ne peut l'être pour soi que si d'abord on l'est pour autrui, et aussi longtemps que pour autrui on n'est rien d'autre : dès qu'il nous perçoit comme une personne — comme un collègue, un ami, un amant... — notre nationalité s'évanouit, nous ne sommes plus français (encore moins : « le Français ») — nous sommes nous-même.

On n'est donc français qu'à *distance* — dans cette sorte de distance à soi et à l'autre où l'autre nous tient lorsqu'il porte sur nous un regard catégoriel (qui nous inclut dans une catégorie), nous perçoit à travers des stéréotypes ou à partir d'exigences bureaucratiques. C'est dans cette sphère-là, principalement — celle qui nous concerne le moins, puisqu'elle ne s'adresse pas à nous, mais à l'être sériel que nous sommes pour les bureaux —, que nous avons à dire, parfois à prouver (carte d'identité, certificat de nationalité) que nous sommes français. Ou à découvrir, par les bizarreries d'un texte, ou d'un employé, que nous ne le sommes plus. Ou à peine.

Ceux qui « se sentent » français disent donc autre chose que ce qu'ils croient : ils ne désignent pas par là l'expérience vécue d'une essence (la francité), ils disent leur façon de penser et d'interpréter leur existence, le regard qu'ils portent sur elle — et qui vient d'ailleurs : d'un législateur, d'une raison d'État. Ils disent, sans le savoir, qu'ils trouvent hors d'eux leur propre définition, et qu'ils s'assument comme êtres génériques. En quelque sorte, qu'ils ne sont pas des êtres spécifiques, irréductibles à une argutie juridique — des sujets, des personnes.

S'ils se crispent ainsi sur leur prétendue identité nationale, et s'imaginent être quelque chose parce qu'ils sont français, c'est qu'ils n'ont rien d'autre — rien de gratifiant — à quoi se raccrocher. Tels ces hommes fiers de leur virilité et qui, faute d'avoir du bien, un talent, un titre, se rabattent sur ce qu'ils trouvent : un muscle, ceux qui se vantent d'être français disent par là même leurs manques, leurs frustrations, leur misère existentielle.

Les êtres équilibrés ne vivent pas de mythes, ils ne s'identifient pas à une entité, ils sont eux-mêmes, simplement. Tels que la vie les a faits. Français ? Sans doute. Mais pas seulement. Pas fondamentalement. En quelque sorte, par-dessus le marché. Ou à l'occasion. Attachés, d'abord, au coin de terre où ils vivent : plus de deux Français sur trois ne quittent pas leur département ; s'ils déménagent, ils changent de rue, s'installent dans le quartier voisin, à la rigueur dans une commune limitrophe. Au-delà, c'est « l'étranger »... On comprend que la plupart (75 p. 100) n'éprouvent pas le besoin, en vacances, de franchir les frontières : il leur suffit, pour se dépayser, de se déplacer dans l'hexagone...

A chacun son hexagone

Curieux pays, où ce qui nous est commun — l'immobilité — est justement ce qui nous sépare. Et nous rend étrangers.

Je suis comme tout le monde, bien sûr : je ne me sens chez moi, dans l'hexagone, que là où j'ai grandi et vécu : à Paris. Ailleurs, je peux *apprécier* (les paysages, surtout : le cap Fréhel, la pointe du Raz...), mais de l'extérieur, en quelque sorte, sans adhérer, sans m'y retrouver. Et beaucoup moins, très souvent, qu'au Maghreb ou en Russie.

Je connais mal la géographie de la France — de

l'Aveyron, l'Ardèche, le Lot, le Tarn..., je pourrais dire, au mieux, qu'ils sont « en bas de la carte », vers le sud — et excepté deux régions où j'ai quelques souvenirs d'enfance (la Bretagne, Royan), je n'ai guère visité les autres (Massif central, Alpes, Périgord...). Ou très vite, car j'ai l'impression d'avoir vu ailleurs — en plus vaste, « grandeur nature » — ce que je pourrais découvrir ici. La Provence est agréable, mais à Gordes ou à Roussillon, je cherche en vain les ruelles de Ghardaïa ou de Ksar es-Souk la Rouge, et la « Grande Côte », près de Saint-Palais, me semble toute petite, quand j'évoque, en la regardant, la côte marocaine, qui s'étend sur des centaines de kilomètres, de Casablanca à Tanger.

Est-ce d'avoir beaucoup voyagé ? Ou d'avoir vécu longtemps au Maghreb ? Il est rare qu'ici je perçoive un paysage en lui-même, qu'une image, venue d'ailleurs, ne le recouvre pas, plus « prégnante », plus réelle que le spectacle que j'ai sous les yeux — et c'est toujours une image du Maghreb. Même aux États-Unis, où, en visitant le Grand Canyon, je me crus dans une oasis du Sud marocain.

La province m'est pareillement étrangère. Sinon plus : un paysage peut me séduire (les gorges de Rocamadour), une petite ville me déprime. Comme me déprime, en général, la « France profonde », celle des bourgades et des moyennes agglomérations. Par sa banalité ou son modernisme sans beauté (hypermarchés, HLM...), son inconfort touristique, la saleté, souvent... Je la vois comme une sorte de tiers monde, sans tout ce qu'il peut y avoir de « typique » ou de « spécifique » dans un pays du tiers monde...

Chaque fois que je reviens d'Autriche ou de Suisse, je suis frappé par l'aspect misérable, ou quelconque, des villages traversés, l'indifférence des habitants à l'esthétique et à l'hygiène (à quelques kilomètres de Bâle, il m'est arrivé d'apercevoir des tas de fumier presque sur le seuil des habitations), la rudesse, sinon la grossièreté des mœurs, cet air pincé avec lequel on vous apporte une bouteille d'Évian, ce regard mercantile, sans la moindre aménité, qui vous jauge et vous juge...

Peut-être la « France profonde » me semblerait-elle moins lugubre, si un nom de ville, ici ou là, évoquait pour moi un prénom, un visage, comme Varsovie Monicka, Athènes Tatiana, Moscou Stanislav..., si une maison amie l'humanisait : mais ce n'est pas certain.

Cécile, ma jeune sœur, habite Carpentras, j'ai toujours plaisir à passer quelques jours dans la vieille demeure paysanne, loin du centre, qu'elle et Joël ont aménagée avec goût, mais chaque fois que je vais en ville, je crois être victime d'un mirage : à peine ai-je pénétré dans les rues piétonnières et traversé quelques petites places, au demeurant charmantes, j'arrive déjà à l'autre extrémité, sur le boulevard qui fait le tour de l'agglomération ; il ne reste plus qu'à revenir, longer les mêmes arcades (version locale de la rue de Rivoli...), contourner la même église, regarder les mêmes boutiques, et ressortir...

La France, pour moi, c'est Paris. Et encore, un certain Paris. Il y a des quartiers que je ne fréquente guère. Non qu'ils me repoussent, comme la province : ils ne m'attirent pas. Bien que dans chacun quelque chose ou quelqu'un — un artisan, une odeur de bois frais, une boutique étrange ou farfelue — arrête mon regard. C'est plutôt l'ensemble qui ne me retient pas.

Par exemple, le XIe. Peu après notre retour d'Algérie, nous trouvâmes un logement près de la place de la Nation, rue Guénot — une petite rue qui part du boulevard Voltaire, fait une boucle et y revient. Le quartier est aéré, les boulevards, bordés d'arbres (des platanes ? des tilleuls ?), sont larges. A l'époque, quelques rues étaient encore pavées ; et les pavés de Paris me font toujours rêver...

Ici ou là, des artisans : un tailleur qu'on apercevait, tôt le matin, tard le soir, un fil à la bouche, l'œil fixé sur sa machine à coudre, l'oreille tendue vers son transistor ; un menuisier et ses compagnons, dont le travail — bruits de marteaux, de planches, crissement d'une scie — me stimulait : ne faisions-nous pas le même métier ? On rabote son texte, on le polit, on réajuste des paragraphes mal emboîtés... Un « petit mécanicien », qui, le matin, s'annexait une partie de la rue pour agrandir son atelier, et la transformait en parking... Un cordonnier, large tablier bleu et grande moustache, estampe du siècle dernier...

Ces présences m'étaient sympathiques, mais le quartier ne me plaisait guère : immeubles décents, mais presque tous semblables, dans la grisaille de leur alignement, rues rectilignes, sans imprévus, commerces (boucheries, laveries, Franprix...), comme si la vie se réduisait à un ensemble de fonctions. Quartier « pratique », sans fantaisie, sans âme. Où résidait une population trop « typée », à mon goût : c'était moins son caractère « moyen », petit-bourgeois, qui me gênait, que son homogénéité. Apparente, peut-être, car lorsqu'on liait connaissance, on apprenait, par exemple, que le tailleur, un Juif d'Europe centrale, avait vu mourir ses parents à Auschwitz, que le menuisier était né à Sienne, et que nous avions des souvenirs communs, comme nous en partagions avec le garagiste, un pied-noir d'Oran... Mais vues du dehors, ou de loin, globalement, toutes les différences s'estompaient, elles s'évanouissaient dans l'identité d'un même statut social et devenaient imperceptibles.

Or j'ai besoin de percevoir des différences (peut-être parce que je n'oublie jamais les miennes) — de me trouver dans un milieu diversifié, éclaté, contradictoire, hétéroclite... — pour être à l'aise ; c'est pourquoi j'apprécie vivement le métro, où le brassage est incessant, où se côtoient les êtres les plus dissemblables, où la différence est la règle — et où, si elle gêne, personne ne menace personne d'expulsion : on change de wagon, simplement... Tout milieu homogène m'oppresse : arc-bouté à cette homogénéité, il se sent « sûr de lui et dominateur » (d'où le caractère insupportable de ces expressions : « Nous autres... Nous les Français », qui suintent de suffisance) ; facilement intolérant, pareil milieu somme l'autre de renoncer à son altérité, de n'être plus soi pour se perdre dans le *on*. Sans failles, sans dissonances ni discordances, cette vie pétrifiée, ou pétrifiante, est l'image même de la mort.

Aussi ne vais-je pas souvent dans les quartiers riches de Paris, qui me semblent si tristes (vous êtes-vous promené rue du Ranelagh ou boulevard Pereire un dimanche après-midi ? Le Père-Lachaise est plus vivant ! On y rencontre Baudelaire...). Ici, la vie se cache dans des immeubles cossus et des hôtels particuliers. Ou s'expose à peine, honteuse, derrière les étalages sophistiqués de rares épiceries, qui, comme pour s'excuser d'être là, se disent « fines »... Même les chiens, presque tous des caniches frisottants, manquent de naturel : ils ont peur d'aboyer, et se saluent d'un battement de queue ou d'un jappement discret... Quartiers trop policés, à mon goût, trop distingués et artificiels, où la vie semble recouverte de cellophane. Et dans lesquels, avec ma veste bleue et mes jeans, ma sacoche de facteur et ma casquette de marin, quand il pleut, je me sens une allure de « Front popu. » tout à fait déplacée.

Quelques stations de métro — j'arrive sur une autre planète. Où, assurément, ça vit — ça bouge, ça grouille, ça « glandouille », ça bouscule, ça traficote, ça chaparde : les Halles. Ça vit, mais ce n'est pas ma vie. Trop de monde, de bruit, de cris. De papiers gras et de débris de bouteilles. Trop de regards embrumés ou vitreux, d'haleines qui sentent le vin : au Forum des Halles, comme rue de la Pompe, je détone. Mais fausse note pour fausse note, je préfère l'autre. Ici, je fais très « bourgeois », très « comme il faut » — ringard. Un « monsieur » — face à ces groupes de jeunes qui traînaillent — « T'as pas deux francs ? » —, à la recherche d'une aventure qui n'arrive jamais, d'une « occase » qu'on « rate » toujours, dans l'attente d'un quelque chose qu'ils ne connaissent pas. Lente dérive de méduses échouées sur le sable de l'indifférence générale...

Là-bas : une vie rangée, cintrée, amidonnée. Ici : une vie sans forme, défaite ou inachevée, qui s'épuise dans la parade ou l'apparat : des essaims de flâneurs s'agglutinent contre les vitrines — fringues de luxe, gadgets, chaînes hi-fi, FNAC (le Félix Potin de la culture)... Je fuis, me retrouve à l'air libre, tout près du Châtelet, des quais — et des quartiers de Paris où je me sens, enfin, parfaitement chez moi.

Comment ne le serais-je pas ? C'est dans ces lieux-là que j'ai grandi, entre le Luxembourg et les quais. Bercé par les remous de la Seine au passage d'une péniche, quand Mamaï me promenait sur les berges. Ou excité par les pigeons, derrière lesquels, sur le parvis de Notre-Dame, je courais. Maman a conservé une photo de cette époque : assis sur une marche, près du bassin du Luxembourg, un chapeau rond sur la tête, je serre contre moi « un p'tit bateau qui va sur l'eau » et souris niaisement (au « p'tit oiseau », sans doute, que le photographe, la tête enfouie sous un tissu noir, m'a demandé de fixer)...

Un autre souvenir, beaucoup plus tard : j'ai seize ans, je sors tout heureux, les bras chargés de livres, de la librairie Armand Colin, où marraine dirige une collection ; un bouledogue gronde en m'apercevant, je m'enfuis, et tombe dans une flaque d'eau, avec mes « trésors »...

Sans enfant, marraine me gâtait, et s'estimait responsable de ma formation : tous les quinze jours, c'était pour moi la distribution des prix — je lui montrais mes devoirs, toujours bien notés (sauf en maths), elle sortait d'une armoire un roman de Flaubert, les poèmes de Valéry, des ouvrages de Durkheim ou de Bergson. A la fin de la terminale, j'étais déjà riche d'une vraie bibliothèque classique. Couvertures orange ou ocre des auteurs grecs et latins, publiés chez Guillaume Budé, couvertures jaune citron des classiques Garnier, ou vert bouteille des textes philosophiques édités aux PUF (parfois violettes, comme *la Critique de la raison pure*, chez Gibert).

Ma chambre ressemblait à une librairie. Je la retrouvais avec plaisir en rentrant du lycée, restais de longs moments devant les rayons, en tirais un ouvrage, le feuilletais, le remettais... J'avais longtemps hésité avant de les classer — ordre alphabétique ? chronologique ? par discipline ? Finalement, j'avais privilégié l'« importance » (si bien qu'ils changeaient assez souvent de place) et continue de la privilégier : j'aime avoir sous les yeux, à portée de la main, les œuvres qui me parlent... J'en prenais soin, ne les écornais pas, mais soulignais et annotais, au crayon. Je ne les prêtais jamais...

Mes souvenirs de gamin et mes joies adolescentes, Notre-Dame et marraine, Armand Colin et le lycée Louis-le-Grand, dont je fréquentai la khâgne, la Seine, le Quartier latin et mes livres, cela fait un tout, et cela fait Paris.

Le mien, d'hier à aujourd'hui. Et le même : à peine revenu d'Algérie, j'ai retrouvé mes itinéraires d'antan, et s'ils se sont diversifiés, ils se situent presque tous dans un périmètre qui s'étend de l'Hôtel de Ville au Luxembourg, de Notre-Dame à Sèvres-Babylone. J'y suis presque chaque jour, et les livres constituent toujours le pivot de mon existence : librairies, éditeurs, journaux, rendez-vous « littéraires » ou journalistiques... — autant d'étapes, ou de repères, dans mes activités quotidiennes.

Je passe souvent à *la Quinzaine littéraire* : j'aime le joyeux fouillis qui y règne, les piles de livres qui s'entassent sur les tables, par terre, dans les coins, sur les chaises, les amoncellements de paquets — autant, peut-être, de bonnes surprises —, la gentillesse d'Anne Sarraute, qui me chargerait volontiers de trois ou quatre critiques par numéro, la simplicité de Maurice Nadeau : je ne connais pas de directeur de journal qui se prenne si peu au sérieux, qui donne aussi peu dans le parisianisme, ni qui respecte autant les textes de ses collaborateurs...

Si je ne vais pas à la *Quinzaine*, je m'arrête volontiers au Cluny. Il y a deux ans, j'y rencontrais Gerhard, un ami autrichien, qui m'expliquait, en français, ce qu'il avait lu dans *le Monde*, et à qui je commentais, en allemand, ce que j'avais appris dans *Die Zeit*. Gerhard a regagné Vienne, mais Fadéla et son amie Sylvie viennent chaque jour au Cluny prendre un café, espérant m'y rencontrer pour se faire offrir une tarte aux myrtilles ou une glace...

Elles parties, je reste parfois travailler, ou passe chez un éditeur prendre un service de presse, m'arrête aux éditions Robert Laffont, où travaille Michel-Claude (avec lequel, en hypokhâgne, je faisais mes dissertations de philo : il commençait, je terminais), puis, si je ne fais pas un détour par La Découverte, où je retrouve avec plaisir Franchita, je remonte le boulevard Saint-Michel, m'attarde devant les PUF et gagne le Luxembourg.

Je crois bien que c'est pour moi le cœur de Paris. Son centre — et son âme. Chaque fois que le temps le permet, j'y reste deux ou trois heures. Je m'y sens bien. En parfaite harmonie avec le milieu naturel et humain. Je serais bien incapable de décrire le jardin, je ne porte pas sur lui un regard de peintre ou de botaniste, je le perçois plutôt dans sa totalité, comme un élément où je respire, me détends, revis, dès que j'y pénètre. Comme la mer, quand j'y plonge.

A cette impression de bien-être contribuent aussi tous ceux que j'aperçois, assis comme moi dans un fauteuil, les pieds sur une chaise — et qui lisent. Je ne connais pas de spectacle plus gratifiant, plus stimulant : à n'entendre parler que de la « télé », du sport ou de l'entreprise, j'ai (presque) l'impression d'appartenir à une espèce en voie de disparition... Au Luxembourg, je retrouve mes congénères, et m'y retrouve. Universitaires ou autodidactes, étudiants et lycéens, vieux messieurs et vieilles dames qui lisent, écrivent, méditent, rêvent, discutent..., tous m'inspirent une profonde sympathie par ce respect qu'ils portent à leur personne (ils se forment, s'informent) et à la chose écrite.

Lectures, rêveries — rencontres, aussi. Parfois, quelqu'un s'approche, que j'hésite à reconnaître : un(e) ancien(ne) élève, qui retrouve spontanément les gestes, l'intonation d'autrefois. Même s'il n'est déjà plus étudiant. Comme Jean-Marc, qui a appris l'arabe, obtenu une maîtrise d'ethnologie, et part en mission au Yémen. Ou Christiane, qui, au lieu de devenir secrétaire comme la terminale GI en fabrique, a passé deux licences — d'anglais et de japonais : attachée de presse dans une société d'import-export, elle revenait, ce jour-là, de Tokyo... De ces jeunes gens studieux au lycéen que j'étais, comment ne sentirais-je pas une profonde continuité, quelque chose comme une histoire commune, que je partage sans doute avec beaucoup d'habitués du Luxembourg ?...

Est-ce être français que d'aimer ce Paris-là ? Je ne sais, mais ce n'est pas ainsi que je le sens : Paris n'est pas la France... Non, dans ces lieux où j'ai grandi et auxquels m'attachent tant de liens, je me sens chez moi, simplement, sans qu'à ce sentiment d'intimité se mêle quelque conscience nationale. Aucun monument, aucune « curiosité historique » ne me rappelle une histoire qui s'estompe dans ma mémoire, et ce n'est pas l'image d'un roi de France qui me vient, quand je me promène dans le jardin des Tuileries ; c'est plutôt moi-même que je revois, assis sur l'un de ces petits ânes qui ravissent toujours les bambins..

Cinq langues

A chacun son hexagone, à chaque groupe son mode de vie, ses traditions, sa mentalité — sa culture. Mais par-delà cette pluralité, n'y a-t-il pas un acquis intellectuel commun ? Un ensemble de représentations et de connaissances — par quoi se définit aussi une culture — que tous les Français partageraient, puisqu'ils sont tous allés à l'école et parlent tous la même langue ?

La même langue... C'est vite dit. Et dit, là encore, du point de vue de l'État — qui, depuis deux siècles au moins, a tout mis en œuvre pour extirper des provinces les langues qui s'y parlaient, et imposer à tous celle de Paris — le *francien*, un dialecte comme les autres, à l'origine.

« La Révolution déclare une guerre générale à tous les patois », rappelle Claude Hagège[108]. Ainsi peut-on lire, dans le rapport Grégoire à la Convention (30 juillet 1793) : « Je ne puis trop le répéter, il est plus important qu'on ne pense en politique d'extirper cette diversité d'idiomes grossiers qui prolongent l'enfance de la raison et la vieillesse des préjugés... (Il faut trouver) les moyens d'anéantir les patois et d'universaliser l'usage de la langue française.[109] » Parmi ces moyens : une série de décrets, en 1793 et 1794, qui imposent l'emploi du seul français dans toutes les écoles, nomment des instituteurs francophones dans les régions qui ne parlent pas français, interdisent l'usage de l'allemand en Alsace...

La colonisation linguistique de l'hexagone n'a que partiellement réussi : en 1920, 4 millions de Français parlaient le breton, 4 millions l'allemand, 5 millions l'occitan, 200 000 le basque, à peu près autant, le corse.

« Il existe aujourd'hui en France, si l'on excepte le français, quatre langues, poursuit C. Hagège : le basque, le breton, le catalan, l'occitan..., ainsi que trois dialectes appartenant à des groupes linguistiques dont les membres principaux coïncident avec trois grandes langues étrangères : l'alsacien, dialecte alémanique, le corse, dialecte de l'italien, et le flamand, dialecte du néerlandais.[110] » A quoi s'ajoutent, si l'on regarde plus en détail, « les différentes formes de l'occitan... : provençal, languedocien, gascon, limousin, auvergnat », et celles, aussi variées, de la langue d'oïl : « picard, champenois, lorrain, franc-comtois, bourguignon, berrichon, poitevin septentrional, angevin, gallo de Bretagne, normand...[111] »

Ces langues vivent, elles se parlent — dans la vie quotidienne, à la maison (comme se parlent, chez d'autres Français, l'italien, l'espagnol, le portugais, le polonais, l'arabe, l'arménien...), c'est celles que le jeune enfant apprend d'abord, puis pratique, elles constituent son premier milieu humain, c'est en elles, par elles, qu'il s'éveille à l'usage des signes et que le monde, pour lui, prend forme et sens.

C'est peu dire qu'en apprenant le berrichon, le corse ou l'alsacien, il acquiert un moyen d'expression, de compréhension et de communication : une langue n'est pas seulement un instrument, une sorte d'outil extérieur à l'homme — elle fait l'homme, elle le construit comme être sentant et pensant : « Les langues s'approprient les choses en leur donnant accès au dicible, écrit C. Hagège... Loin de mimer les phénomènes du monde, les ordonnant plutôt selon leurs propres classes, les réinventant, les engendrant *in absentia*, les langues influencent dans une large mesure la conception que s'en fait chaque communauté... Nous découpons la nature selon les lignes établies par notre langue... La langue façonne la représentation. Chacun prend moins en considération ce que sa langue ne nomme pas.[112] »

Notre langue maternelle est, à la lettre, notre mère, celle qui nous introduit dans l'ordre humain, forme notre sensibilité, structure notre pensée, nous propose une certaine lecture du monde. Ou, d'une façon plus fondamentale encore, donne au monde qu'elle nous découvre sa couleur, sa saveur, son odeur.

Il y a, au creux des mots, bien plus que du sens — mille nuances qu'on ne peut expliciter, mais que chacun sent, et qui donne à l'être, ou à l'objet nommé, une tonalité généralement intraduisible. On ne peut exprimer en français, ni dire autrement (car dire autrement, c'est dire autre chose), ce que contient, ou suggère, le terme allemand de *Schadenfreude*. « Plaisir qu'on éprouve au malheur d'autrui » ? Littéralement, sans doute, mais la lettre n'est pas l'esprit... Ou encore, comment traduire tous ces diminutifs que les Russes ajoutent volontiers aux prénoms ? *Lioubotchka*, « petite Liouba » ? Ce qui était tendre devient ridicule, ou puéril... Ainsi toute langue, le breton comme l'allemand, l'occitan comme le russe, le basque comme le français... compose-t-elle pour celui qui la parle un univers unique et singulier, irréductible à tout autre.

Si tant de Français naissent — et vivent — dans une autre langue que le français, comment peuvent-ils être identiques dans leur façon de sentir et de penser le monde, eux-mêmes, leurs rapports avec autrui ? On admet sans difficulté, aujourd'hui, qu'il existe une « sensibilité » de gauche (ou de droite) : comment ne pas reconnaître qu'à un niveau beaucoup plus profond que le politique — au niveau des affects, des mécanismes de défense, des systèmes inconscients d'interprétation, des normes et des valeurs — existent, entre ceux qui parlent des langues différentes, des sensibilités et des mentalités différentes ?

Ma langue, mon pays

S'il est un lien qui m'attache à ce pays, et m'enracine dans l'une de ses traditions (m'ouvrant par là même aux uns et me fermant aux autres), c'est la langue. A cause, sans doute, de la fragilité de toutes mes autres appartenances, et de cette sorte d'étrangeté que, par mes origines et ma première éducation, j'ai toujours portée en moi.

J'imagine que ma mère a joué, ici, un rôle fondamental. En me reprenant, bien sûr, chaque fois que, de la rue ou de l'école, je rapportais quelques « gros mots ». En me donnant l'exemple, par l'élégance et la pureté de son parler. En m'offrant de beaux livres, que je lisais avec plaisir. Aujourd'hui encore, son exemple me touche et me stimule : quand j'entre dans le jardin de son pavillon, à Colombes, je l'aperçois souvent, par la fenêtre de la salle à manger, assise devant la table, les bras croisés comme une enfant sage, la tête penchée sur un livre. Ou s'absorbant dans la lecture du *Robert...* Romans, récits de voyages lointains, essais... s'entassent, de la cave au grenier : ce sont ses seuls, ou ses plus proches amis.

Comme elle, je vis, et j'ai grandi, entouré de livres. Ce compagnonnage de tous les instants (gamin, j'avais toujours un livre avec moi, quand j'allais me promener ; je n'ai pas changé) m'a profondément marqué : pour moi, une langue est moins ce qui se parle que ce qui s'écrit ; parlée, je l'apprécie d'autant plus qu'elle est littéraire. Non que je recherche le pédantisme ou l'affectation, mais je suis très sensible à la fluidité de l'élocution, à la précision des termes, à la brillance des formules, à l'éclat d'une image...

Je souffre, réellement, comme lorsqu'une craie crisse sur le tableau, quand j'entends des mots vagues, des mots vides ou bouche-trous (*disons... bon... écoutez... eh bien...*), des diminutifs (*l'appart'... à 8 heures du mat'*), je ne supporte pas les « gros mots » et ai l'impression de déchoir quand j'en prononce, les mots étrangers, s'ils ne sont pas francisés phonétiquement, comme toutes ces éructations qui tiennent lieu de langage (*super... génial... bof...*), la langue morte des politiques, la langue de bois des technocrates... Que ce soit en français, en russe, en allemand, j'aimerais parler, et entendre parler, comme on joue et écoute de la musique...

J'aimerais écrire comme Voltaire, comme Sartre, parfois comme Proust... C'est à la langue écrite que je tiens le plus : elle peut atteindre à la perfection. A un moment ou à un autre, une langue parlée, si belle soit-elle, fléchit, se relâche, se banalise ; la langue écrite se contrôle, se travaille, s'épure, s'embellit, elle peut avoir l'éclat d'un cristal...

Lire, écrire, manier des mots, polir une phrase..., je

ne connais pas de plus vif plaisir. C'est dans la langue que j'ai élu domicile, et comme il se trouve qu'elle est française, c'est par elle que je suis français. Ou plutôt (car la langue est comme l'âme, dirait Schnitzler : « un vaste pays »), c'est dans l'une de ses régions que j'habite. Celle où l'on rencontre plus de concepts que d'images, de raison que de passion, où le lyrisme ne s'exprime que contenu, où les mots font mouche, et valent moins par ce qu'ils sont que par ce qu'ils disent. La Rochefoucauld plutôt que Rabelais, Voltaire plutôt que Rousseau, Baudelaire ou Valéry de préférence à Musset, et, avant toute chose, le Sartre des *Mots* ou de *Situation*...

De vivre dans la langue de ce pays ne crée pourtant pas de liens particuliers avec ses habitants ; de s'inscrire dans l'une des plus anciennes traditions de l'hexagone (la langue classique, issue du latin) est moins un facteur de rapprochement que de distanciation. Ou d'incompréhension. Paradoxe : c'est en étant le plus français qu'on a le moins d'échanges avec d'autres Français — mais paradoxe apparent : nous ne parlons pas la même langue. Ce n'est pas la même que nous avons apprise dans nos familles, et celle que l'école enseigne n'a été assimilée que par ceux qui, déjà, la possédaient...

Inculture générale

Sans doute tous les jeunes Français apprennent les mêmes rudiments, et un peu plus. Par le biais de cet apprentissage, ils acquièrent, assure-t-on, une même manière de penser. Ou, à tout le moins, une même mentalité : lorsqu'on passe des années côte à côte sur les mêmes bancs, à faire les mêmes dictées, à lire et expliquer les mêmes textes, ne finit-on pas par avoir le même « bagage culturel » et la même tournure d'esprit ? L'école n'est-elle pas le lieu où s'ébauche une même culture ?

D'une certaine façon, oui : demandez à un élève de cinquième ou à un lycéen de terminale qui est Gongo Moussa (un empereur africain), combien d'années a duré la première guerre d'Algérie (1830-1871), quel est l'auteur des *Liaisons dangereuses*, ou quelques noms d'écrivains suisses ou belges (sans parler des Turcs ou des Albanais), ils vous regarderont avec un gentil regard étonné ou amusé, mais parfaitement vide. Par contre, dites-leur « Charles Martel », ils répondent en chœur « Poitiers ! », ou « Marignan », et ils crient « 1515 ! »... Dressage, réflexes conditionnés, ignorances massives : c'est ce que l'école produit, en effet, assez généralement. Si nous sommes français quelque part, c'est assurément par notre inculture.

Une inculture très programmée, puisque l'échec est la finalité objective de l'institution. Cent mille jeunes, chaque année, quittent l'école « sans rien, rigoureusement rien, pas un diplôme monnayable, pas un certificat, rien.[113] » Les autres « disparaissent » après la cinquième, ou la troisième — à chaque étape, son lot de victimes —, munis d'un vague brevet ou d'un CAP pratiquement sans valeur. Au total, sur cent élèves qui entrent en 6e, vingt-six sortent de terminale avec le bac ; la moitié des bacheliers, seulement, obtient un DEUG deux ans plus tard — un cinquième, une maîtrise.

Les jeunes Français ne font pas route ensemble, ils ne participent pas à la même aventure, et ne découvrent pas les mêmes paysages... Différents à l'entrée, ils le sont à la sortie. Avec en plus, pour beaucoup, l'amertume de l'échec et le dégoût des études.

Regarde-t-on la répartition des adultes par niveau de formation scolaire, l'écart est encore plus grand entre les privilégiés et les autres : seules les jeunes générations produisent 26 p. 100 de bacheliers ; à l'échelle nationale, ce chiffre tombe à 18 p. 100.

« Sur 100 habitants qui ne vont plus à l'école, précise François Beautier[114] :

56 n'ont aucun diplôme ou seulement le certificat d'études primaires.

7 ont le BEPC seul.

19 ont un CAP ou un BEP.

8 ont le baccalauréat ou un brevet professionnel.

10 ont un diplôme universitaire. »

Le diplôme n'est certes pas un titre d'intelligence, il ne représente jamais qu'un acquis, à un moment donné, et l'on sait qu'un acquis qui ne se développe pas se dégrade ; à l'inverse, qui ne connaît des autodidactes, ou des sans-diplômes, qui ne possèdent, dans un domaine ou un autre, de hautes connaissances ?

Il n'empêche que, statistiquement, les Français sont peu et très inégalement cultivés ; s'ils parlent la même langue, c'est au niveau le plus simple, le plus fonctionnel (« Ça va ?... Quel sale temps ! ») ; le message devient-il un peu plus complexe, il « passe » moins, ou ne passe plus : l'interlocuteur sourit, mais ne suit plus. Ou répond à des arguments par des anecdotes. Déjà en terminale, il est très difficile de faire discuter des élèves, ils distinguent mal l'affirmation de l'argumentation, l'opinion (souvent gratuite) du concept ; or ces jeunes sont des privilégiés de la culture...

On a les idées de sa langue : à langue pauvre, idées creuses. Le champ mental d'un être (ce qu'il peut concevoir, comment il le conçoit, et comment il reçoit ce qu'il lit ou entend) est fonction de la qualité de ses outils linguistiques. Plus riche est sa langue parlée, plus divers les langages techniques ou scientifiques maîtrisés, plus souple, plus fine est sa compréhension : si l'on ne possède pas le langage de l'économie, de l'histoire, de la psychologie..., que peut-on comprendre dans ces domaines ? Quels échanges peuvent s'instaurer entre des êtres qui n'ont pas reçu la même formation, ne possèdent pas les mêmes connaissances, n'utilisent pas les mêmes mots (ou ne les entendent pas de la même façon), et ne partagent pas les mêmes centres d'intérêt ? Est-ce un hasard si l'on parle tellement de la pluie et du beau temps ?

A parcourir les statistiques sur le niveau culturel des Français, on ne peut qu'être effrayé par les béances qu'elles révèlent : 84 p. 100 sont incapables de citer deux auteurs du XVIIIe siècle[115], 29 p. 100 ne lisent jamais, 24 p. 100 un à cinq livres par an[116]. Ces chiffres, d'ailleurs, sont à réviser à la baisse : selon un sondage de la Sofres de décembre 1987, la multiplication des chaînes de télévision et le plus grand nombre de variétés diffusées aux heures de grande écoute ont porté préjudice à la lecture : « 18 p. 100 affirment regarder davantage la télévision et lire moins... Si la baisse du temps consacré à la lecture à cause de la télé affecte assez peu les cadres, les professions intellectuelles et intermédiaires (entre 10 et 12 p. 100), elle touche beaucoup plus ceux qui déjà lisaient le moins : les employés (22 p. 100), les ouvriers (24 p. 100) et les agriculteurs (25 p. 100), toutes classes d'âge confondues.[117] »

Plus grave : « 70 p. 100 des Français, rappelle Laurence Pannet, ne savent pas vraiment lire, c'est-à-dire pratiquer efficacement la lecture silencieuse qui permet de comprendre le sens d'un texte sans s'arrêter aux syllabations et de lire en moyenne trois fois plus vite des yeux qu'à haute voix. La lenteur du déchiffrage allonge alors si démesurément le temps de lecture qu'elle perturbe le déroulement de l'histoire jusqu'à priver le récit d'intérêt.[118] »

Selon les conclusions du *Rapport sur les illettrés en France* (1984), l'hexagone compterait environ 400 000 analphabètes totaux, et près de 4 millions d'illettrés, c'est-à-dire « incapables de lire et d'écrire en le comprenant un exposé simple et bref de faits en rapport avec la vie quotidienne », selon la définition de l'Unesco, et « ne pouvant remplir un questionnaire, déchiffrer un mode d'emploi ou s'orienter sur un plan ». (« La population immigrée, précise L. Pannet, n'apparaît pas ici.[119] »)

Tout se tient dans l'inculture : ceux qui ne savent ni lire ni écrire ne s'intéressent pas davantage à la musique classique (58 p. 100 des Français n'en souhaitent pas plus à la télévision), et restent insensibles à la peinture (74 p. 100 n'ont pas visité un seul musée depuis un an) ; mais 59 p. 100 croient à l'astrologie, et 77 p. 100 aux envoûtements[120]...

Est-il sérieux de prétendre, dans ces conditions, que les Français ont la même culture, et qu'ils participent tous d'une même tradition intellectuelle et artistique ? S'imaginer qu'ils conversent tous, dans une sorte de ferveur mystique, avec Racine, Hugo, Proust ou Mallarmé, relève tout simplement du délire. Beaucoup ne connaissent que Guy Lux ou Patrick Sabatier, et sont à un amoureux de Baudelaire ce qu'un jeteur de sorts vendéen est à un astrophysicien.

L'esprit cartésien ne souffle que sur une minorité, et l'irrationalité demeure la chose la mieux partagée : pour beaucoup, Descartes n'est pas encore né, la Bastille n'est pas encore tombée, et la *Déclaration des droits de l'homme* reste encore à écrire... Prétendre qu'être français, c'est avoir les mêmes références intellectuelles, une même façon de penser — « une même culture » — est un fantasme pur et simple.

La réalité est plus triviale : ce que les populations de ce pays ont en commun, c'est une énorme inculture, que l'école ne réduit pas (puisqu'elle sert à reproduire l'ordre social existant), et même qu'elle aggrave (dans la mesure où elle distille le dégoût du savoir), que les médias cultivent (puisque ce sont des machines à abêtir), et que les hommes politiques entretiennent (puisque par leur discours et leur pratique, ils traitent leurs concitoyens comme des demeurés).

Vue de haut — du haut des statistiques, qui, en ce domaine, se recoupent toutes —, la France apparaît comme une terre quasiment en friche — 18 p. 100 ont le bac ou davantage, 77 p. 100 croient aux sorcières[121]... —, ou plutôt, comme un champ de bataille, où gisent, assommés par l'école, la télé et le pouvoir, des millions de victimes, qui, traitées autrement — respectées — auraient pu devenir des génies.

Certes, à y regarder de plus près, le spectacle est moins désolant : ici et là, des hommes, des femmes, des groupes se cultivent, inventent, et se livrent à des activités artistiques : troupes de théâtre, chorales, ateliers de peinture, de sculpture... Les chemins qui mènent à l'art, ou à la connaissance, ne passent pas nécessairement par les écoles ; mais ces chemins sont d'autant plus durs à parcourir qu'il faut les défricher seul, sans grands moyens, et toujours contre, ou malgré l'État, avare d'aides et de subventions. Que dans une ville ou un quartier, de la culture se produise, c'est évident ; mais si riche soit-elle, c'est une production locale – propre à quelques personnes –, elle n'est pas nationale, et ne change rien à des chiffres dramatiques : à l'échelle de l'hexagone, l'activité culturelle numéro un consiste à regarder la télévision trois heures vingt-sept minutes par jour[122].

La culture est apatride

Il y a, c'est vrai, les créateurs. Ceux qui, dans tous les domaines (littérature, musique, sculpture...) créent de la culture : n'est-ce pas de la culture française ? Là encore, on joue sur les mots : de ce qu'il existe une littérature, une peinture, une architecture françaises, on en déduit que ces œuvres mêmes sont françaises. Tour de passe-passe : de l'identité juridique d'un créateur, on affirme l'identité nationale de sa création. Sa conformité à une essence (française) de la littérature, de la musique...

Ce qui n'a rigoureusement aucun sens. Qu'y a-t-il de français – et qu'on ne pourrait donc pas retrouver chez un Russe ou un Allemand – dans l'analyse racinienne de l'amour, les tourments de Musset, ou la nostalgie du temps qui passe, chez Ronsard ou Lamartine ? La langue, assurément. Mais faut-il être français pour écrire en français ? Et qu'une œuvre soit écrite dans cette langue lui confère-t-elle a priori une beauté particulière, ou une quelconque supériorité ?

On le dit, ou on le sous-entend – on vante la

clarté, la finesse et l'élégance de la langue de Voltaire, qu'on oppose à la « lourdeur » de celle de Kant ou à la « complexité » de celle de Dostoïevski... Bêtises. Aucune langue n'est supérieure (ou inférieure) à une autre, plus belle ou moins belle qu'une autre... A la base de nos jugements de valeur : des préférences, dont C. Hagège fait justice.

Évoquant les débats d'il y a deux siècles sur la prétendue clarté de la langue française (Rivarol : « Ce qui n'est pas clair n'est pas français »), et sa parfaite conformité à l'ordre du monde, il précise : « La propriété des termes et l'ordre le plus adéquat à la pensée... sont les vrais facteurs de clarté. » Quant à l'ordre dit naturel (sujet, verbe, complément), Domergue, au XVIIIe siècle, a rappelé qu'il pouvait être très arbitraire : « Lorsque je vois un serpent..., je suis l'ordre direct, en quelque langue que je parle, si le mot *serpent* commence ma proposition. Que je crie en latin : *Serpentem fuge*, ou en français : *Un serpent ! fuyez !*, je suis également fidèle à l'ordre direct, et malheur à la langue froide et absurde qui voudrait qu'on dît : *Monsieur, prenez garde, voilà un serpent qui s'approche.*[123] »

Il est absurde de s'imaginer que la littérature française a quelque chose de plus que les autres, parce qu'écrite en français. Comme il est absurde de l'appeler française, parce que produite en France : Proust est un grand écrivain, mais parce qu'il est grand, il n'est pas français. Ou pas seulement. C'est sous-estimer une œuvre, et la dévaluer, que la considérer comme « typique ». Comme représentative d'une nation. D'une classe (qu'est-ce qu'un roman *bourgeois* ? Un roman *prolétarien* ?). Ou même d'une histoire personnelle.

Une grande œuvre est toujours autre chose qu'un reflet. Même si l'expérience de l'artiste, son appartenance à une classe (une caste), à une société et à une époque l'influencent, elle les dépasse. Tout ce qui est étroitement situé ou particularisé ne dure pas et ne vaut guère (exemple limite : un tract) ; le propre d'une œuvre d'art est de transcender les contingences de lieu, de temps, et d'émouvoir, sur la longue durée, les hommes les plus divers : l'*Iliade*, l'*Odyssée* « parlent » encore, et pas seulement aux lointains descendants d'Homère !

Sans doute est-ce là, comme le suggère toute l'histoire de l'art, le signe distinctif du « génie » : celui qui crée une œuvre dont toutes les déterminations historiques sont gommées, et qui s'adresse à tout un chacun — son « semblable », son « frère » —, quels que soient son pays, sa langue, son temps. Un artiste, en ce sens, n'a pas de patrie, puisqu'il est de tous les pays.

« Identifier une culture à un État est réactionnaire, déclare Guy Hocquenghem. Les grandes cultures transgressent les frontières, elles sont plus vastes qu'un territoire ; la culture française existe bien au-delà de l'hexagone, précisément parce qu'elle n'est pas "purement" française. Tous les courants culturels d'envergure se moquent de la géographie, ils n'ont pas d'autre identité que migratoire. Comme les écrivains, qui sont toujours apatrides. Ou se choisissent quelques patries d'adoption : Nabokov écrit en russe, en anglais, en français... J'aurais aimé écrire en italien... Les écrivains n'ont pas de problème d'identité, ils n'ont que des problèmes de traduction. »

Comme Guy Hocquenghem (« J'ai horreur du

mot *identité*. Je pense aussitôt : “Rapport de police, identité basanée, carte d’identité” »), Bernard-Henri Lévy se crispe, dès que je lui demande de se définir : « Un écrivain français n’est jamais tout à fait français... J’aime trop l’altérité, les croisements d’altérité, les rapports de fragments identitaires pour m’enfermer dans une identité. »

Sa patrie ? Elle est ouverte à tous, sans gardes-chiourmes ni contrôles : c’est sa langue. « J’ai quitté l’Algérie, où je suis né, quand j’avais un an... Je n’ai pas de racines ; nulle part je ne peux dire : “C’est ma terre, c’est ma maison”... Reste la langue. C’est toute mon appartenance. J’ai une relation très forte, très maniaque avec la langue française, je l’écris avec un acharnement, un souci qui ne sont pas seulement le fait d’un écrivain... » Évoquant les grands pays, qui n’ont pas « une identité nationale, mais une altérité nationale », B.-H. Lévy ajoute : « Les grandes cultures se sont construites à une infinie distance de toute idée d’identité. Ce qui caractérise les grands moments d’une civilisation, c’est le brouillage des identités, les greffes, le cosmopolitisme... »

Ainsi au XVIIIe siècle. Où, loin de se fixer névrotiquement sur « la préférence nationale », la société française s’ouvre largement sur l’étranger : « On se passionne pour la musique italienne, écrivent A. Lagarde et L. Michard, on imite les *Idylles* du Suisse Gessner ; à la fin du siècle, l’influence de Goethe commence à se faire sentir ; mais dans tous les domaines, c’est l’influence anglaise qui est prépondérante... On se met à l’école du philosophe Locke, d’ironistes comme Swift et Sterne ; on traduit et on imite Shakespeare, Pope, Richardson ; les poèmes de Macpherson... donnent un nouvel essor aux tendances préromantiques.[124] »

La richesse d'une culture (comme la vitalité d'un peuple) est fonction de son ouverture aux autres, de sa capacité à intégrer, pour en faire œuvre originale, les apports les plus divers. Là encore, comme dans l'ordre biologique, mélange, brassage, amalgames sont facteurs de dynamisme.

Une nation comme une autre

Une vie intellectuelle qui ne se laisse pas assigner à résidence, des manières d'être et de faire extrêmement diverses : si l'on tient, malgré tout, à définir l'être-français en termes culturels, que reste-t-il, sinon les valeurs ? Toute société se réfère en effet à une morale — une certaine façon de concevoir les rapports entre les hommes, entre les peuples —, elle proclame son attachement à certaines vertus ; sous cet angle, la culture d'une nation exprime les idéaux qui orientent (ou sont censés orienter) sa pratique.

Liberté, égalité, fraternité : « Être français, estime A. Touraine, c'est adhérer à ces valeurs. Vouloir la démocratie. Mettre en œuvre la solidarité nationale. » G. Dufoix pense qu'il faut désormais chercher à « un niveau très profond » (comme si, en surface, on ne trouvait pas grand-chose...) la spécificité nationale : « Le rayonnement de la France n'est plus ce qu'il était... Mais nous restons les héritiers de la patrie des droits de l'homme. *Liberté, égalité...* : nous avons vécu dans ce bain-là... La liberté d'expression est pour nous chose naturelle. On s'en aperçoit quand on revient d'Afrique ou des pays arabes... Je me souviens d'un voyage au Sénégal, en 1985, lorsque Laurent Fabius a fait à Dakar une déclaration contre l'apartheid. J'ai ressenti très fort l'identité de la France... L. Fabius a incarné l'esprit français... »

Soit. Mais dans le genre (héroïque), on trouve mieux : « Avez-vous remarqué, près de la porte Maillot, ces plaques commémoratives, à l'endroit où des résistants ont été fusillés ? dit Me Paul Boucher. Quelques-uns portent des noms musulmans » ; puis, citant l'Algérien M'hamed Yazid, croix de guerre 1939-1945, et Ben Bella, « l'un des adjudants les plus décorés de l'armée française », Me Boucher ajoute : « A l'heure de l'épreuve, qui a été fidèle ? Qui s'est conduit en Français ? Les collaborateurs ou les maquisards ? Doriot ou Manouchian ? Ceux qui ont servi sous l'uniforme SS, ou les Iraniens tombés à Bir Hakeim ?... Au moment décisif, les arguties juridiques, les belles phrases sur la culture ne tiennent pas. Reste l'éthique. Je crois à une conception éthique de la France. Si on y renonce, la France devient un pays comme les autres. »

Mais elle l'est ! Et, malgré les belles envolées lyriques de Me P. Boucher, elle l'a toujours été. Sans privilège particulier. Sans défaveur insigne. Parfois au premier rang, parfois très moyenne. Ni bénie des dieux, ni haïe : humaine, simplement. Comme toute nation. L'admettre ne lui enlève rien, mais la remet à sa place. Une place qui, en matière de droits de l'homme, n'a pas l'exclusivité que disent ses propagandistes, bénévoles ou attitrés.

Les Anglais d'abord

Si l'on ne donne pas dans cette « religion de la France » qu'on nous a enseignée en guise d'histoire[125], et si l'on ne regarde pas la réalité à travers le catéchisme tricolore, force est de reconnaître que l'idée des droits de l'homme a longtemps — et timidement — cheminé à travers les siècles, d'un pays à l'autre, avant de prendre forme constitutionnelle, au nord de l'Europe, puis en Amérique, et de s'exprimer, enfin, dans la *Déclaration* de 1789.

Cette idée, explique Jacques Mourgeon, est apparue dans des sociétés extra-européennes, souvent situées autour, et au sud, du bassin méditerranéen[126]. On la trouve chez Moïse, par exemple, qui revendique, déjà, le droit des peuples à disposer d'eux-mêmes, chez un sage confucéen, Mong-tseu, qui écrit, trois siècles avant Jésus-Christ : « L'individu est infiniment important, la personne du souverain est ce qu'il y a de moins important », ou, il y a trente-six siècles, chez Hammourabi, qui veut « faire éclater la justice pour empêcher le puissant de faire tort au faible », comme chez Antigone, qui se réclame des lois non écrites de la conscience. Peut-on négliger, enfin, l'importance du message chrétien, qui, bien que constamment trahi, proclame l'égalité de tous les hommes ?

Tous ces apports, et bien d'autres, ont donné corps, peu à peu, à cette idée que l'homme, parce qu'il est homme, a des droits ; les circonstances (les « conditions objectives ») aidant, elle commença, ici et là, à inspirer des textes législatifs :

« La période 1450-1550 est une époque décisive dans l'histoire oscillante des droits de l'homme, écrit J. Mourgeon... Outre les villes de la ligue hanséatique, l'Angleterre montra l'exemple d'un pouvoir partagé, de franchises réelles, et d'un début d'organisation juridique des droits depuis la *Grande Charte* accordée par Jean sans Terre en 1215, où l'on trouve déjà formulées diverses garanties judiciaires au profit de "tout homme libre", et... la liberté de circulation.[127] »

Tandis qu'en Écosse et en Europe centrale, rappelle J. Mourgeon, des expériences démocratiques, stimulées par la Réforme, voient le jour, de nombreux philosophes — Hobbes, Locke, Kant, Spinoza — donnent un statut théorique à la notion des droits de l'homme (dont on chercherait en vain une esquisse chez Descartes ou Malebranche), et c'est encore en Angleterre, puis en Amérique, qu'elle prend force de loi :

« En Angleterre, précise J. Mourgeon, le Parlement avait revendiqué en 1628, par la "pétition des droits", à laquelle la monarchie avait satisfait par le *Bill of rights* en 1689. Et c'est au nom des droits à "la vie, la liberté et la recherche du bonheur" que les Anglais établis en Amérique se sont proclamés indépendants en 1776, avant de se doter en 1787 d'une constitution, élaborée "en vue... d'assurer les bienfaits de la liberté".[128] »

1215, 1689, 1787 : sans remonter jusqu'à Hammourabi, les idéologues français des Lumières s'inscrivent dans une tradition qui éclaire déjà l'Europe, lorsqu'à leur tour ils dénoncent la tyrannie, et les Constituants de 1789 parachèvent ce que d'autres ont formulé avant eux. Ils innovent moins qu'ils ne prennent le relais. 1789 n'est pas un commencement absolu, encore moins une fin. C'est un moment de l'histoire française et européenne. Important, mais imparfait. Que d'autres ont commencé — on l'oublie trop souvent — et que d'autres, également, ont prolongé, quand on se contente, ici — deux siècles après ! — de s'y référer verbalement.

C'est en Suisse (cantons de Neuchâtel, depuis...1849, et du Jura), en Suède, en Hollande (où la population autochtone *approuve* à 66 p. 100), au Danemark, en Norvège, en Irlande, en Nouvelle-Zélande (législatives incluses), ce n'est pas en France, pas plus celle de Mitterrand que celle de Giscard d'Estaing, que les étrangers ont le droit de vote aux élections municipales[129].

Mais ils l'ont eu, en France, comme ils ont eu bien d'autres droits. S'il y a quelque reconnaissance à éprouver pour les hommes de 89, c'est là, me semble-t-il, qu'elle se situe ; c'est par là, comparés à leurs successeurs, qu'ils restent grands et exemplaires.

« *Tout étranger qui nourrit un vieillard* »

26 août 1789 : « Les hommes naissent et demeurent libres et égaux en droits... » L'Ancien Régime — avec ses exclusives et ses discriminations — est mort ; du moins on le croit, on le veut : « Les étrangers..., l'hospitalité, la paix, la souveraineté des peuples sont choses sacrées, déclare Saint-Just. La patrie d'un homme libre est ouverte à tous les hommes de la terre.[130] »

La France s'ouvre donc très largement : « Tout homme né et domicilié en France, âgé de vingt et un ans accomplis — tout étranger âgé de vingt et un ans accomplis, qui, domicilié en France depuis une année, y vit de son travail, ou acquiert une propriété, ou épouse une Française, ou adopte un enfant, ou nourrit un vieillard, tout étranger, enfin, qui sera jugé par le Corps législatif avoir bien mérité de l'humanité, est admis à l'exercice des droits de citoyen français » (Constitution de 1793, article 4[131]).

Être membre de la cité. Exercer des droits politiques là où l'on vit et travaille. Là où l'on est utile à autrui (« Tout étranger qui nourrit un vieillard... ») : tel est l'essentiel, à l'époque. Où l'on distingue absolument ce qui, aujourd'hui, se confond (et, du coup, pose tant de faux problèmes) : la nationalité et la citoyenneté.

La première compte peu. Même avant la Révolution, où la « naturalisation » consiste avant tout à acquérir des droits et non une nationalité (le terme n'apparaît dans les textes qu'en 1874). La Révolution reprend cette tradition, et la démocratise : en se naturalisant, l'étranger — qui garde sa nationalité — n'obtient pas la nationalité française (qui, par elle-même, ne confère aucun droit politique), il reçoit la citoyenneté française. On peut donc être, à la fois, de nationalité anglaise, ou prussienne, et de citoyenneté française. Et siéger, en costume national, dans une assemblée politique.

La nation, il y a deux siècles, n'est pas une essence, ni une personne mystique, c'est une réalité juridique et politique ; chacun peut donc y participer, pour peu qu'il adhère à ses valeurs et à ses choix. Comme chacun peut perdre sa qualité de citoyen, s'il commet quelque indignité :

« On cite le cas d'un boulanger parisien, parfaitement français, qui sera condamné, en octobre 1793, comme "étranger", pour n'avoir pas voulu livrer sa farine à la réquisition », écrit Bernard Plongeron[132]. Avec son certificat de civisme, ce boulanger perdit sa qualité de citoyen... Être français, c'était donc passer un contrat avec la société politique française — toute question de nationalité mise à part, parce que sans importance.

De nombreux étrangers furent ainsi naturalisés, à la demande même, souvent, des révolutionnaires :

« Les assemblées politiques de la Révolution comptent des étrangers de marque en même temps qu'élus de la nation, poursuit B. Plongeron. Exemples : les Anglo-Saxons D. Williams, Thomas Payne, Américain de Philadelphie et Conventionnel du Pas-de-Calais, le Prussien Anacharsis Clootz, Conventionnel de Saône-et-Loire. Ce cosmopolite veut régénérer la France et l'univers ; le 19 juin 1790, il conduit à l'Assemblée nationale une députation composée d'étrangers de tous pays et revêtus de leurs costumes nationaux. Clootz demande qu'une place leur soit faite à la fête de la Fédération : "La trompette qui sonne la résurrection d'un grand peuple a retenti aux quatre coins du monde, dit-il, aussi cette solennité civique ne sera pas seulement la fête des Français, mais encore la fête du genre humain." La demande est ratifiée par les députés et Clootz prend le titre d'"orateur du genre humain". En 1871, la Commune de Paris fera le même accueil à plusieurs étrangers, dont le Polonais Dobrowski.[100] »

Un génocide français

France des droits de l'homme ? Oui, si l'on ne retient de cette époque que l'attitude à l'égard des étrangers — qui ne sera plus jamais aussi généreuse. Oui, si l'on se fait piéger par les mots, et entend par « homme » « être humain », quand les droits de l'homme, en 1789, signifient, très restrictivement, les droits des hommes blancs et de bien.

Du bénéfice de ces droits sont exclus, en effet, tous ceux qui ne sont pas des hommes — les femmes, les enfants —, les citoyens pauvres (incapables de payer la cotisation exigée, ils ne sont ni électeurs ni éligibles), les hommes de couleur, enfin — les Noirs des possessions coloniales.

La chute de la Bastille n'entraîne pas celle de l'esclavage. La Constituante considère les colonies comme partie intégrante de l'empire français, la Convention les assimile à la métropole. Poussée par la révolte des 700 000 esclaves de Saint-Domingue, que dirige Toussaint-Louverture, elle charge une commission de préparer un nouveau statut pour « les personnes non libres » ; c'est en 1794 seulement, moins par humanisme que contrainte par les événements (persistance des insurrections noires, ambitions anglaises et espagnoles sur les Antilles), qu'elle abolit l'esclavage. Abolition symbolique — elle n'est pas appliquée — et de courte durée : en 1802, l'esclavage est rétabli — le Code noir, remis en vigueur.

Le Code noir ? Les manuels scolaires n'en parlent pas, et pour cause. Promulgué en 1685, abrogé en 1848, il légalise et légitime, en soixante-cinq articles, « le génocide utilitariste le plus glacé de la modernité, écrit Louis Sala-Molins. La France réussit... cette performance théorique de dire sur la même ligne *esclavage* et *droit*, *esclavage* et *code*... (Elle) fonde en droit le non-droit à l'État de droit des esclaves noirs, dont l'inexistence juridique constitue la seule et unique définition légale.[134] »

Pendant près de deux siècles, le Code noir réglemente outre-mer les conditions d'achat, de vente, d'entretien... de millions d'hommes-marchandises. Il stipule, par exemple, que les personnes « qui achètent des nègres » (jamais le dimanche, ni les jours de fêtes religieuses, car il faut respecter le Seigneur...) doivent les faire baptiser, qu'il est interdit à un Blanc d'épouser une Noire, que « les enfants qui naîtront de mariages entre esclaves seront esclaves », que « tous excès et voies de fait... commis par les esclaves contre les personnes libres... (devront être) sévèrement punis, même de mort s'il y échet... L'esclave fugitif... aura les oreilles coupées..., s'il récidive..., il aura le jarret coupé..., la troisième fois, il sera puni de mort. » En annexe, le prix à payer : « Pour pendre : 30 livres... Pour couper la langue : 6 livres..., pour (la) percer : 5 livres...[135] »

Exploitation, oppression ? Ces termes ne conviennent même pas, si épouvantable est la condition des esclaves. Excepté, peut-être, les « pièces d'Inde » — « Noirs de vingt à vingt-cinq ans, en pleine santé, bien bâtis » — que les maîtres paient cher et entretiennent, tous les autres, mal nourris, frappés, mutilés, perdent vite, sous les coups de fouet, les quelques forces qu'ils ont encore, puis meurent, ou sont tués. Pendant deux siècles, la France des droits de l'homme saigne l'Afrique et pratique, dans ses îles, le génocide.

La « faute aux colons » ? Mais ils ont la loi pour eux — et l'opinion. Y compris celle des philosophes. Du XVIIIe siècle, comme des siècles précédents : « Cherchez le Noir déjà victime de la traite chez La Boétie ou chez Bodin, qui raisonnent liberté et souveraineté si joliment, écrit Sala-Molins. Furetez chez Descartes... Fouillez de fond en comble Pascal... Voyez Malebranche le moine. Sondez Fénelon l'évêque... Peine perdue. Le Code installe ses normes dans l'indifférence générale, totale, de la pensée philosophique française, parfaitement au courant de la traite et de l'esclavage. L'obscénité de son silence démontre avec éclat à quel point elle se moque d'un problème qui ne concerne aucunement ni la splendeur du concept ni le balancement du syllogisme.[136] »

« L'esclavage ne choque pas toujours la raison »

Il est vrai que les philosophes du XVIIIe siècle dénoncent l'esclavage : celui de l'homme blanc. Ou celui que d'autres peuples — Arabes, Africains, Chinois... — ont pratiqué. Jamais celui des Français, qu'ils s'emploient même, indirectement, à justifier.

Sala-Molins cite, à l'appui, des textes sans équivoque. Par exemple, de Montesquieu : « Il y a des pays où la chaleur énerve les corps et affaiblit si fort le courage que les hommes ne sont portés à un devoir pénible que par la crainte du châtiment : l'esclavage y choque donc moins la raison... L'esclavage est contre la nature, quoique dans certains pays il soit fondé sur une raison naturelle... Et il faut bien distinguer ces pays d'avec ceux où les raisons naturelles mêmes les rejettent, comme les pays d'Europe, où il a été si heureusement aboli.[137] »

Qu'on lise Voltaire (pour qui « l'intervalle qui sépare le singe du nègre est difficile à saisir[138] »), Rousseau (qui a tout lu de ce qui s'écrivait sur les « nègres » et n'en a pas été indigné), Diderot (« Le Code noir traite principalement des nègres ou esclaves noirs que l'on tire des côtes d'Afrique », *Encyclopédie*[139]), Condorcet..., la même constatation s'impose : l'esclavage des Noirs n'est pas leur problème ; pire, ils l'approuvent, ou, tel Condorcet, l'estiment nécessaire près d'un siècle encore, le temps que les Noirs « évoluent » : « Au fond, écrit Sala-Molins, les révolutionnaires de 1789 et des années suivantes ont très bien lu Rousseau : c'était eux les esclaves, à eux de briser leurs propres chaînes et de se débarrasser de leurs tyrans. L'affaire des Noirs afro-antillais, elle, ne figurait pas dans le mode d'emploi de la révolution, elle ne les concernait pas.[140] »

Le racisme scientifique

Elle ne concerne pas davantage leurs successeurs. Au XIXe siècle, le racisme « scientifique » occupe toute la scène idéologique, gagnant médecins, biologistes, philosophes, socialistes utopiques, écrivains, ethnologues... S'il n'y avait eu qu'un docteur Virey pour affirmer que les Africains sont restés « bruts et sauvages », ou un Frédéric Portal, pour estimer que, « symbole du mal et du faux, le noir n'est pas une couleur, mais la négation de toutes les nuances..., (le signe) de toutes les passions de l'homme dégradé », on comprendrait qu'on en parle peu : qui se souvient de Virey, Portal ou Montabert ?

Hélas ! pas un grand esprit ne fut épargné. A la lecture du Code noir – et de la remarquable analyse de Sala-Molins sur les philosophes des Lumières –, il faut ajouter celle de William B. Cohen, *Français et Africains, les Noirs dans le regard des Blancs, 1530-1880*[141]. Ouvrage accablant, qui montre que le Code noir n'a rien d'une exception, qu'il n'est pas non plus la dernière manifestation d'une époque obscurantiste (l'Ancien Régime), puisque, un siècle plus tard, on s'efforce de donner une justification scientifique à une pratique, l'esclavage, qui, jusque-là, s'en était fort bien passée, tant l'infériorité des Noirs paraissait naturelle.

Cent ans après la *Déclaration des droits de l'Homme*, médecins et scientifiques collectionnent les crânes (il y en aura près de trois mille au musée de l'Homme à la fin du XIXe siècle), les pèsent, les soupèsent, cherchent les bosses ou les creux, grattent les squelettes, mesurent les nez, examinent les bras et les cous, comparent les odeurs, se demandent s'il n'y aurait pas quelque part des traces récentes de queue... Pour fonder, en nature, l'infériorité des uns, la supériorité des autres.

Tandis que Gall, Cuvier, Buffon, Broca, Étienne Serre (anthropologue) se livrent à ces travaux pratiques, poètes et romanciers, qui n'attendent pas leurs conclusions — ils les connaissent ! — mettent en scène des Noirs grotesques et effrayants, gorilles mal dégrossis ou « grands enfants ».

Balzac, rapporte W. Cohen, dit de l'un de ses personnages qu'il est aussi « sot » que l'« un des animaux qui broutaient le gros pâturage de la vallée » ou que « quelque naturel du cap de Bonne-Espérance », P. Loti, dans *Le Roman d'un spahi*, décrit les mœurs « bestiales » des « indigènes », la comtesse de Ségur montre un serviteur qui « se réjouit à la manière accoutumée des nègres : il sautait, pirouettait, poussait des cris discordants », Maupassant imagine que Tombouctou (un soldat) mange des Prussiens, Hugo déclare que « devant Dieu, toutes les âmes sont blanches », et Jules Verne fait parler ainsi deux de ses héros : « Nous t'avions cru assiégé par des indigènes/ Ce n'étaient que des singes, heureusement/ De loin, la différence n'est pas grande, mon cher Samuel/ Ni même de près, réplique Joe.[142] »

Littérature, idéologie, pseudo-science? Sans doute, mais c'est déjà beaucoup. Et ce n'est pas tout : si la pensée des droits de l'homme, tels qu'on les entend aujourd'hui, n'effleure pas plus les esprits du XIXe siècle que ceux du XVIIIe, le pouvoir politique se moque comme d'une guigne de la *Déclaration* de 1789.

L'abolition de l'esclavage n'a pas institué — faut-il le rappeler ? — le règne de l'égalité : la France des droits de l'homme n'hésita pas à priver de liberté ses sujets coloniaux, comme elle se livra à la répression la plus féroce, quand ils commencèrent à se révolter (mai 45 : en « métropole », on fête la victoire, à Sétif, on pleure 45 000 morts), et utilisa systématiquement la torture durant la guerre d'Algérie. Aujourd'hui — car l'histoire ne lui a rien appris — c'est aux Canaques qu'elle refuse le droit d'être libres. A coups de mitraillettes et en mobilisant, de nouveau, sa soldatesque...

Plus généralement, la France officielle s'est toujours fort bien accommodée de l'injustice sociale : exploitation des enfants dans les manufactures, situation misérable des ouvriers, jusqu'aux luttes de 1936, condition actuelle des travailleurs immigrés, expulsions de réfugiés politiques, discriminations envers les étrangers : lepéniste avant la lettre, elle pratiqua, dès la fin du siècle, la « préférence nationale ».

Une loi de 1893 réserve en effet aux Français l'assistance médicale gratuite ; la jurisprudence, rapporte l'historien G. Noiriel, interdit l'hospitalisation des étrangers. « La loi de 1905 sur les vieillards et les infirmes ne déroge pas à la règle... Une circulaire du ministre de l'Intérieur rappelle aux préfets que si, dans une commune, un vieillard ou un infirme a été admis, qui ne fût point de nationalité française, le préfet est tenu d'intervenir pour faire cesser immédiatement cette formelle violation de la loi.[143] » France des droits de l'homme ?

Qui tiendrait pour négligeables, enfin, les fascismes français, des Croix-de-Feu au Front national ? A moins de prétendre qu'ils sont moins fascistes que d'autres, parce que français ?... « Imaginez-vous un Le Pen allemand ? demande G. Dufoix. Ce serait pire ! » Était-ce « mieux » d'être torturé, rue Lauriston, par la Gestapo française ?... « Le Pen n'est pas un accident de l'histoire, dit B.-H. Lévy. C'est un produit français... Bien des gens s'imaginent que Pétain, Doriot, Le Pen... sont des épiphénomènes, et que le fascisme est toujours étranger. Mais il y a un fascisme national, sans casque, qui parle le meilleur accent du terroir, qui trouve un écho dans le peuple... Oui, il y a un fascisme aux couleurs de la France ; bien peu ont essayé de le penser... »

Histoire ou conte de fées ?

La France des droits de l'homme ? Une prodigieuse mystification historique, qui, en jouant sur les mots, a métamorphosé une revendication de classe (les droits de la bourgeoisie) en défense de l'humanité (les droits de l'homme), le pillage de l'Afrique et du monde arabe en « mission civilisatrice », les massacres en pacification ou en exploits sportifs (« Les Francs se servaient très bien de la francisque. Ils la lançaient sur les casques de leurs ennemis et leur fendaient la tête[144] »), les brigandages et les conquêtes en défense de la patrie, et la patrie elle-même en jeune femme brandissant le flambeau de la liberté !

La France des droits de l'homme est un mythe. « Une mise en scène du passé imaginée au siècle dernier par les historiens libéraux », écrit Suzanne Citron[145]. Une légende, que propagent encore les manuels d'histoire, qui ne disent rien des massacres perpétrés par les croisés, de l'esclavage aux Antilles, des enfumades de Bugeaud, des boucheries de Nivelle, de la torture en Algérie...

Expurgée, embellie, magnifiée, cette histoire-là est un conte de fées, que des historiens actuels — membres de l'Institut ! — perpétuent sans vergogne : « La France est une personne, écrit P. Chaunu... La France souffre, elle a mal, elle espère, attend, elle peut mourir demain, elle est menacée, trahie, asservie ; elle est en droit d'exiger que pour elle on vive et on meure... La France s'appelle la patrie et la patrie, en français, est au féminin.[146] » La belle affaire ! A ces âneries larmoyantes, on préférait, au début du siècle (mais ce n'était pas mieux), les exhortations viriles : « La France, soldat de Dieu jadis, aujourd'hui soldat de l'humanité, sera toujours le soldat de l'idéal[147] » (Clemenceau).

La France, un soldat, une femme, une divinité... Cette mythologie paraît si naturelle, elle est tellement enracinée dans la mentalité de ce pays, qu'on s'y réfère tous les jours, sans que personne crie « au fou ! » ou appelle police secours.

Dernier exemple que j'ai sous les yeux : une *Géographie de la France*, de François Beautier, publiée chez Nathan à l'automne 87. Dès le premier chapitre, on est en plein délire ; son titre : « La France d'avant les hommes » ! Mais avant les hommes, qu'y avait-il, sinon Dieu ? La France participe donc de la nature de Dieu, elle est Dieu ! En guise de géographie — comme pour l'histoire — de la théologie. Page 15, l'obsession revient : « La France existait déjà avant que les hommes y vivent » ; elle existait donc « au temps de la Gaule » (p. 25). Elle l'a donc créée, et les Gaulois avec, par-dessus le marché ! Voilà pourquoi ils ne sont pas des hommes comme les autres...

Suivent, dans le cours de l'ouvrage, les habituels accommodements avec la vérité historique : « La Révolution se contente d'essayer d'interdire le trafic des esclaves...[148] » *Essayer d'interdire !...* « Il subsiste des réticences à l'égard des étrangers »... Le refus névrotique de l'autre, l'agression raciste, des *réticences* ! (cf. P. Chaunu, et les pogroms contre les Italiens baptisés « crispations »...). Passons : les mensonges sont peut-être moins graves qu'un délire ; des premiers, on peut toujours se délivrer, au hasard d'une lecture, ou, si l'on y tient, par des recherches ; mais du second, quand il est l'atmosphère même qu'on respire dès la maternelle ?

Tout le monde, sans doute, ne parle pas comme F. Beautier, mais combien ne pensent pas comme lui ? Le terme même de *France* n'a plus besoin, désormais, de ces qualificatifs grandiloquents dont on l'affublait au début du siècle : il les a digérés, il en a fait sa substance. Tels ces mots qui, par eux-mêmes, veulent tout dire, et le pire (pourquoi préciser *sale* juif, *sale* étranger, *faible* femme ? Cela va de soi !), le mot *France* n'est pas neutre ; on ne dit pas *France* comme on dit *Suisse*. Qui dit *France* pense (le plus souvent) *France éternelle, France des droits de l'homme, Liberté, Égalité, Culture* (« On n'a pas de pétrole, mais on a des idées... »).

De Du Bellay (« France, mère des arts, des armes et des lois ») à Chaunu, de Clemenceau à Giscard (« La France au fond des yeux »), Chirac (« La France ne tolérera pas... ») ou Mitterrand (tous ses discours), la même logomachie se répète, le même fantasme revient, obsessionnel. Comment s'étonner que le citoyen de base le reprenne à son compte ? L'exemple vient de haut — du Ciel !

Et pourtant, comme le dit si bien Suzanne Citron, « l'histoire du pays des droits de l'homme n'a rien d'une histoire des droits de l'homme[149] ». Comme elle n'est pas davantage, bien sûr, celle de leur négation systématique. L'histoire de France n'est pas plus belle, ni plus sordide, que celle d'autres nations. Elle a ses grandeurs et ses infamies — indissociables. Comme le recto et le verso d'une feuille. Les distinguer — oublier le Code noir pour célébrer la *Déclaration* de 1789 — n'a pas de sens. Sinon idéologique. Ou fantasmatique. Là encore, comme pour la « pureté » ethnique, l'imaginaire construit un passé homogène et sans taches. Quand le plus ignoble y côtoie le sublime.

Si être français, c'est être aussi bien l'héritier des jours de honte que des jours de gloire, il est absurde d'en être fier. Une absurdité qui ne choque pas, apparemment, B. Mégret (« Être fier ? C'est une nécessité de survie. Il n'est pas sain de ressasser les périodes sombres »), J.-P. Chevènement (« Je sais que l'histoire de France est faite d'ombre et de lumière, mais la lumière l'a toujours emporté »), Françoise Gaspard (« Quand je me promène dans le monde, je suis fière de voir tant de gens qui prennent la France comme référence »), L. Pauwels, évidemment, et tant d'autres. « Grotesque! réplique

G. Hocquenghem. Comment être fier de ce qu'on n'a pas choisi d'être ? L'est-on d'avoir des cheveux blonds ?... Grotesque — et dangereux. »

Il faut exorciser Michelet : « La France n'est pas une religion. » Elle n'est pas « une âme, un principe spirituel », comme le croyait Renan. Elle ne se distingue pas des hommes et des femmes qui la constituent, avec leurs misères, leurs bassesses et, parfois, leur héroïsme. A ne retenir que l'héroïsme, on risque fort de faire de l'hexagone un désert.

Culture, ou rictus de haine ?

Qu'on voie dans la culture française Marianne qui brandit le flambeau de la liberté, l'esprit qui souffle sur les arts et les lettres, ou des manières typiques d'être et de faire, on voit trouble. On simplifie, élague ou grossit, idéalise et mythifie.

Mais surtout, on élimine : c'est par rapport aux étrangers, et par peur, qu'on cherche, affolé, ce qu'on pourrait bien être et qui nous distinguerait. La plupart de ceux qui invoquent la culture utilisent beaucoup moins cette notion pour expliciter l'« essence » du fait français que pour la préserver du danger qu'elle est supposée courir. Concept-butoir, concept-repoussoir, qui sert avant tout à se démarquer des autres. A se convaincre qu'on est différent. Inutile, dès lors, d'affiner son analyse : il suffit de le nommer. Magiquement. Et le mot fait la chose.

On ne se réfère à la « culture française », en effet, que pour dénoncer le « péril » d'une France pluriculturelle : inquiet que les pouvoirs publics ne pratiquent pas une véritable politique d'assimilation, le démographe Jacques Dupaquier pense qu'« une France plurinationale signifierait l'éclatement du pays... Si on essaie de combler les trous démographiques par l'immigration, on connaîtra des troubles sociaux... Les caisses de retraite vont sauter... ». En attendant, on risque d'y perdre son latin : « L'un vous parlerait en swahili, l'autre en ouolof... Mais où irait-on ? » s'exclame A. Touraine. « Ce serait la tour de Babel », affirme L. Pauwels (soixante-trois ans après tous les autres : en 1925, la droite s'affolait déjà — « Est-on encore à Paris, ou dans quelque Babel ? Personne ne parle français[150] »). Feu sur la multiculture — « On n'en veut pas ! », répète B. Mégret —, vive la monoculture ! La nôtre !

Sous la culture, la race : rejeter ce qui constitue l'autre (sa langue, ses usages...), c'est rejeter l'autre : le racisme parle aujourd'hui le langage de la culture. On ne déclare plus que les étrangers ont « des nez pendant en trompe molle..., des peaux olivâtres et scrofuleuses », on affirme qu'ils ont une façon de faire la cuisine (à l'huile d'olive, justement) qui empeste ; on ne soutient plus qu'ils ont « des figures étranges, un nez circonflexe ou un poil trop noir[151] », on décrète qu'ils sont « bruyants », prennent les baignoires pour des poulaillers et jettent leurs ordures par la fenêtre. Bref, qu'ils sont différents — et inassimilables. « A la rigueur, on peut intégrer de petits groupes évolués », concède B. Mégret. P. Chaunu en doute : « Vous n'apprendrez jamais la *Lorelei* à un enfant turc ! »

Culture, ou rictus de haine ? Envolées les belles phrases sur les droits de l'homme ou la musique des vers de Racine, c'est elle qui transparaît, bête et méchante. Comme je rappelle à L. Pauwels — qui juge la France de plus en plus « accueillante » — que des jeunes gens viennent d'agresser un Maghrébin et s'en glorifient, il répond : « Ils étaient saouls. Ils se sont farci un bougnoule et se sont justifiés par des propos racistes. » Ce « bougnoule »-là est au directeur du *Figaro-Magazine* ce qu'un certain « détail » est à J.-M. Le Pen — le brusque surgissement, dans un discours faux, d'une vérité : celle de tous ceux qui disent « *culture* », quand ils pensent « *sale race* » !

Des institutions libérales

Hier la race, aujourd'hui la culture : les arguments changent, le fond reste. Et résiste. Étrange pays, qui ne s'est fait que d'apports étrangers, et les récuse. Qui, durant toute son histoire, a assimilé les êtres et les groupes les plus divers, s'en est fort bien porté et, en même temps, renâcle, tempête, vitupère, excommunie. Pays schizophrène, malade de lui-même en croyant l'être de l'autre ?

Qu'il soit régulièrement secoué de crises (affaires Dreyfus, « ratonnades »...) et couvert de pustules (Action française, Front national), *mais* qu'au même moment il fabrique des anticorps (Zola, les « 121 », SOS-racisme...) et échappe à une gangrène généralisée, empêche en tout cas qu'on le juge pervers — et raciste.

D'abord, parce que pareil jugement — « Les Français sont racistes » — témoignerait lui-même d'un racisme à rebours, fixant un peuple dans une essence, lui attribuant, de toute éternité, une nature. Bêtise : ce sont les circonstances qui font l'homme. Il n'y a pas de peuple raciste, « même pas les Blancs d'Afrique du

Sud, dit Tahar Ben Jelloun : Ils ne sont pas tous pour l'apartheid. On n'a pas le droit de généraliser ». Ni, lorsqu'on dit « français », de penser seulement Croix-de-Feu, Doriot, Le Pen..., en oubliant Mauriac, Sartre, Foucault, la Ligue des droits de l'homme, et toutes les associations qui, en France, luttent contre la peste brune.

On est d'autant moins justifié à généraliser que, comme le souligne Bernard Wallon, « la société française n'est pas organisée de façon raciste. Les institutions, les lois ne sont pas racistes ». Aucune loi ne se fonde sur la « race », la couleur, la religion pour interdire quoi que ce soit à qui que ce soit. C'est même l'inverse : la loi proscrit toute discrimination.

Les textes sont dans l'ensemble libéraux, et les étrangers bénéficient d'un certain nombre de droits : dès 1884, par exemple, ils pouvaient adhérer à un syndicat ; depuis 1975, ils peuvent devenir délégués syndicaux et occuper, dans leur centrale, des postes de direction ; depuis la même année, ils sont éligibles comme délégués du personnel et membres des comités d'entreprise ; une loi de 1982 leur permet de participer au conseil d'administration des caisses de Sécurité sociale ; celle du 9 octobre 1981 leur reconnaît le droit d'association : « On estime aujourd'hui qu'il existe plus de huit cents associations portugaises et sans doute autant d'associations algériennes, tunisiennes, marocaines ou d'Afrique noire.[152] »

Depuis 1983, les étrangers peuvent être recrutés comme non-titulaires dans la fonction publique et même, dans certains cas (tel l'enseignement supérieur), être titularisés. « Ce qui montre que l'exclusion générale des étrangers de la fonction publique n'est nullement le résultat d'un choix réfléchi et rationnel, estime la Ligue des droits de l'homme, mais la conséquence d'une tradition dont le bien-fondé apparaît de moins en moins évident.[153] »

S'ils n'ont (encore) aucun droit politique — ce qui est une injustice —, les étrangers peuvent intervenir dans le monde du travail et participer — dans une mesure encore trop réduite — à la gestion des affaires sociales ; ils ne sont certes pas les égaux de leurs compagnons d'usine, de bureau ou de quartier, mais ils ne sont pas, non plus, relégués dans un ghetto : de par ses institutions et son mode de fonctionnement, la société française n'est pas raciste.

Une xénophobie chronique

Ce qui ne signifie pas, bien entendu, qu'elle soit exempte de racisme. Mais si l'on cherche une constante dans son attitude à l'égard de l'étranger, peut-être est-il plus exact de parler de xénophobie, quitte à réserver le terme de racisme pour les périodes de crise.

La distinction, sans doute, est ténue : la xénophobie n'est qu'une forme atténuée de racisme, un racisme « doux », ou larvé, qui ne cherche pas de justification théorique, comme le racisme scientifique, qui se vit sans éclat, s'abritant derrière des lèvres pincées, un air absent, un regard glacial ou faussement indifférent, racisme discret, mais toujours susceptible de donner lieu à des réactions violentes.

Si la xénophobie désigne surtout l'hostilité à l'étranger — son rejet passif, qu'il soit ignorance, méfiance, absence de contacts —, et si le racisme est un rejet actif, il semble que la société française soit plus xénophobe que raciste. Les agressions physiques ou verbales contre les étrangers (ou les Français qui ont « l'air » étranger) ne sont pas la règle. On ne les aime pas, c'est tout — c'est déjà beaucoup ! —, et comme on ne les aime pas, on se ferme (l'ignorance des Français en matière de langues étrangères est symptomatique de cette fermeture), on ne les reçoit guère — « Les Français sont les gens les moins hospitaliers du monde », estime Dos Passos[154]. « Cette société est fermée et provincialiste, ajoute G. Hocquenghem, chacun déteste son voisin ; alors, quand il s'agit d'étrangers !... » —, on les tient à distance : « Pour les Français, dit Sartre, un étranger est par principe un suspect, quand ce n'est pas un coupable.[155] »

A cette xénophobie chronique, que Montaigne dénonçait déjà, s'ajoutent, régulièrement, des flambées de racisme aigu : ainsi, en 1889 1893, dans un pays vaincu, épuisé par la guerre et en crise économique, en 1927-1932, depuis 1973.

De la montée actuelle du racisme, Albert Lévy, secrétaire général du MRAP, voit au moins trois indices. Évoquant quelques-unes des agressions de l'an passé (à Charleville, des voyous jettent un Marocain dans la Meuse, à Sedan, Carcassonne, Chambéry, des militaires attaquent des Maghrébins dans des cafés, ailleurs, des jeunes gens prennent un Algérien en stop, le dépouillent, le frappent et lui coupent un doigt, avant de le jeter dans un fossé), A. Lévy constate qu'aujourd'hui ceux qui tuent un « Arabe » ont bonne conscience :

« Je ne sais pas si le nombre d'agressions a augmenté, mais leur tonalité n'est plus la même. Lorsqu'en 1983, Tewfik Ouanès est tué à La Courneuve, les assassins se cherchent des excuses — "C'est la canicule, nous étions énervés"... Maintenant, ils disent : "Je n'aime pas les Arabes" ; à leurs yeux, cette haine les justifie, et certains s'étonnent même qu'on les arrête. Autrefois, le racisme ne s'avouait guère, maintenant, il se proclame, c'est devenu une raison d'agir. »

Banalisé à la base (qu'on passe aux actes ou qu'on n'ait plus honte de se dire raciste), le racisme, ajoute A. Lévy, semble inspirer, assez souvent, la conduite de bon nombre d'agents d'autorité : « J'ai le sentiment qu'il y a une recrudescence de bavures policières, que certains fonctionnaires ont la gâchette ou le coup de poing faciles : souvenez-vous de ces jeunes Français d'"allure maghrébine" brutalisés au bois de Boulogne... A Paris, on nous a signalé des violences dans les commissariats des XIe et XXe arrondissements, ainsi que dans celui des Halles... La justice elle-même ne fait pas toujours preuve de sérénité : il arrive que des agresseurs, policiers ou civils, bénéficient d'une étrange mansuétude, et écopent d'une sanction très légère... »

A. Lévy cite enfin l'attitude, très restrictive, des pouvoirs publics — les difficultés plus grandes pour l'obtention ou le renouvellement des cartes de séjour, l'augmentation du nombre des expulsions et des refoulements, leur arbitraire, la généralisation du système des visas (les Autrichiens, qui y sont soumis, sont-ils plus portés au terrorisme que les Suisses, qui en sont dispensés ?), le projet de réforme du Code de la nationalité.

« Plus grande pénétration de l'idée raciste dans les

populations, multiplication des violences, durcissement des pouvoirs publics — c'est cette conjonction qui caractérise le moment présent. Autrefois, seul l'un ou l'autre de ces éléments prédominait ; aujourd'hui, tout se tient et devient systématique. C'est cela qui est grave quand le racisme, au lieu d'être excroissance facilement circonscrite, se répand, de plus en plus, dans l'ensemble du corps social, jusqu'à la tête. »

La montée du racisme

Il n'est pas faux, pour expliquer la résurgence du racisme, d'invoquer la crise économique, mais cela reste superficiel. « C'est d'abord une crise du sens. Une crise des valeurs. Une crise d'identité », dit Bernard Lorreyte, psychosociologue à l'université de Paris XIII et spécialiste des relations interculturelles.

« S'il y a problème, aujourd'hui, poursuit-il, ce n'est pas la faute des étrangers, ce n'est pas parce qu'il y a en France des Maghrébins (2,60 p. 100 de la population totale, qu'est-ce que cela représente ?), c'est parce que la France a changé. Par rapport à l'extérieur, elle s'est rétrécie : fin de l'empire colonial, émergence de nouveaux joueurs sur la scène internationale : Iran, Japon... Nous avons en tête l'image d'une grande puissance, ce n'est plus qu'un pays moyen. Nous sommes obligés de remettre en question une représentation jusqu'ici dominante, et pareil réajustement est pénible à vivre, il est source de malaise. »

Comme l'écrit Marcel Gauchet : « Notre histoire nous semble universelle, mais elle intéresse de moins en moins les autres. Nous détestons le particularisme, et l'on commence à nous parler de "francité", à nous mettre dans une petite case parmi les cases des peuples, nous qui pensons toujours être la Nation par excellence, le modèle le plus abstrait et le plus général.[156] »

Si les références extérieures se brouillent, les points de repère internes tendent à s'effacer. La société française est sans doute encore très hiérarchisée — les classes, les castes existent toujours —, mais les signes de cette hiérarchie s'estompent, ou se cachent, ils ne sont plus, ou à peine, visibles : à l'anonymat des grandes cités, à l'effacement des clivages les plus choquants, au développement des classes moyennes correspond une idéologie égalitariste — source, quoi qu'il paraisse, d'un très grand malaise.

Reprenant les observations de Louis Dumont dans *Homo hierarchicus*, B. Lorreyte se demande s'il peut exister du social non hiérarchisé : « Plus on efface les signes de la hiérarchie, plus on crée un manque : il n'y a de moi que s'il y a de l'autre — donc, de la différence —, mais si l'autre me renvoie mon image, qui suis-je ? Je n'ai plus de repères, je m'affole. »

La peur de soi

Jusqu'à la crise actuelle, la mobilité sociale était de règle. Pendant les « trente glorieuses », des centaines de milliers de personnes ont changé de statut professionnel — et de vie —, se différenciant les unes des autres, s'élevant dans la hiérarchie socioprofessionnelle : promus citadins, les paysans devenaient ouvriers ; délivrés des tâches les plus ingrates par la main-d'œuvre étrangère, les ouvriers se qualifiaient, accédaient à la maîtrise, ou devenaient des cols blancs ; les immigrés eux-mêmes bénéficiaient d'une certaine ascension : entreprises, syndicats, parti communiste, école — les machines à intégrer fonctionnaient, et tandis que les premiers arrivés (Polonais, Italiens, Espagnols...) s'assimilaient, d'autres (les Maghrébins) les remplaçaient... Puisque chacun bougeait, et se croyait un avenir plus ou moins radieux, qui en aurait voulu aux étrangers ? Grâce à eux, qui servaient d'échelle, ou de tremplin, tous les espoirs semblaient permis. Allait-on tuer la poule aux œufs d'or ? On ne les agressait guère, on ne glosait pas sur leurs « coutumes » — on ne les voyait pas, on les ignorait.

Jusqu'au jour où la machine à progresser tomba en panne. Il y a quinze ans. Depuis, comme prise de folie, elle fonctionne à l'envers — disqualifie, rétrograde, rejette, et indifférencie par le bas : des groupes entiers — femmes, travailleurs peu diplômés, « trop » âgés, cadres moyens... — sont frappés. On « modernise », « restructure », « dégraisse », les cols blancs deviennent gris, ou s'échangent contre un bleu de travail, quand travail il y a...

Conséquence : une formidable insécurité — qui n'est pas, comme le prétendent les démagogues, peur des voleurs ni des tueurs de vieilles dames, et que quelques contrôles supplémentaires n'apaiseraient pas. Cette insécurité est peur devant soi-même, un soi-même qu'on ne reconnaît plus, qu'il s'agisse de son identité nationale (de moins en moins brillante, sinon insignifiante), de son image professionnelle (de plus en plus incertaine, parfois inavouable : « chômeur »), ou de son statut social (de plus en plus flou) ; à la limite, cette insécurité est peur de la dissolution du moi, de sa désintégration — de sa perte dans un « on » sans forme, sans visage, sans âme.

Par chance, les immigrés sont là. Ceux qui cherchent un salut illusoire dans le racisme doivent leur en être reconnaissants : grâce à eux, tout n'est pas perdu. Dans l'imaginaire, du moins...

« L'antidote de l'anonyme »

Leur rôle est triple, explique B. Lorreyte. D'abord, ils fixent l'angoisse, ils lui donnent un nom, un visage, ils délivrent (apparemment) le raciste de son malaise, puisqu'il projette son désarroi sur un tiers : « C'est la faute aux Arabes. »

Boucs émissaires, les immigrés réintroduisent également un principe de différenciation dans la fantasmagorie du raciste, et permettent à un moi incertain de lui-même de se croire quelqu'un : « L'immigré est l'antidote de l'anonyme[157] », dit Michel de Certeau.

D'où cet acharnement, aujourd'hui, sur les « différences » : si le discours raciste ne cesse de les souligner — « Ils ne peuvent pas s'intégrer, ils ne sont pas comme nous, ils ont leurs traditions, leur mentalité... » —, s'il mâche de la différence comme d'autres du chewing-gum, ce n'est pas à cause de son importance objective (en soi, elle n'en a aucune), ni parce qu'elle constitue un obstacle (elle n'est pas un obstacle), c'est pour retrouver, au niveau du fantasme, une identité perdue : on souligne les différences parce qu'on se veut différent et pour se sentir différent. Lorsqu'un raciste « culturel » (qui parle en termes de culture) déclare : « Les étrangers sont... », il dit en réalité : « Moi, je ne suis pas... » Si réduites sont ses exigences, ou si intense est son désarroi, qu'il lui suffit, pour être, de n'être pas (basané, musulman...).

Il faut « retourner » le discours raciste, et le remettre à l'endroit : s'il pourchasse les différences, ce n'est pas parce qu'elles le choquent, mais parce qu'il en a besoin ; sans elles, il serait perdu, et si elles n'existaient pas, il les inventerait. « L'inflation actuelle des discours sur l'islam, remarque B. Lorreyte, en dit plus long sur la société française que sur l'islam » ; car sur l'islam elle ne dit rien, mais sur l'angoisse qui taraude des millions de Français, elle dit beaucoup. Par exemple : qu'en l'accrochant à un minaret, ils s'imaginent s'en délivrer.

Pour paraphraser Sartre : l'immigré, comme le juif, est une invention des racistes. On ne le déteste pas parce qu'il existe, il existe parce qu'on le déteste, et on le déteste parce qu'on ne le supporte pas. On s'invente un repoussoir parce qu'on se veut autre que ce qu'on est ; on charge donc autrui d'être à notre place celui qu'on ne veut pas être.

Le retour du refoulé

On l'accable d'autant plus, évidemment, qu'on lui ressemble. C'est la troisième fonction de l'immigré racisé : s'il permet aux racistes de se libérer de leur angoisse (la phobie du présent, de l'avenir... se muant en hétérophobie), s'il leur redonne une identité, il leur garantit aussi que socialement ils sont « mieux ». Ou du moins, il essaie...

Dans ces grands ensembles (La Courneuve, les Minguettes, les quartiers nord de Marseille...), qui sont comme les hauts lieux du racisme, cohabitent des populations — indigènes et allogènes — que rien ne distingue : elles partagent la même misère. Pour ces Français déclassés, il peut être tentant de se reclasser « culturellement », c'est-à-dire racialement : il n'est pas possible que cet étranger — ce paysan qui leur ressemble comme un frère — leur renvoie leur image — n'est-ce pas un « Arabe » ? Pour conjurer magiquement sa propre exclusion, on l'exclut.

« L'immigré, c'est le retour du refoulé, dit B. Lorreyte. Ce que les Français stigmatisent très souvent chez eux comme différences raciales ou culturelles (en évoquant leurs pratiques langagières, leurs modes vestimentaires, leurs coutumes culinaires, leurs usages du temps et de l'espace, leur organisation familiale et leurs relations homme-femme...) est loin de constituer un univers qui leur serait étranger. Au contraire, il s'agit en réalité d'un monde social et culturel très proche des Français, encore relativement familier pour certains, mais très souvent dénié, dévalorisé ou refoulé pour la plupart d'entre eux : les cultures populaires et notamment la culture rurale.[158] »

L'immigré représente tout ce qu'eux-mêmes ont été il y a quelques décennies, qu'ils sont en train de redevenir, et qu'ils refusent : ce n'est pas la différence, c'est la ressemblance qui fait problème. « Les hommes ont peur du Même, écrit Jean-Pierre Dupuy, et là est la source du racisme[159]. » Face aux immigrés, des Français découvrent l'écart qui existe entre leur situation telle qu'ils l'imaginaient et leur situation réelle : leur promotion n'est qu'un mythe. Ils fuient cette évidence en rejetant l'immigré dans les ténèbres extérieures : « L'histoire des immigrés, c'est la leur, dit B. Lorreyte. Ils ont sous les yeux leur histoire — mais ils refusent de la voir. »

C'est ce refus qu'exploite Le Pen. En jouant de l'insécurité identitaire de son public. En lui annonçant que « la France est de retour » (B. Lorreyte). En lui promettant, en guise d'avenir, un passé dépassé, d'autant plus idéalisé qu'il est loin et que le présent est difficile. Le Pen — un fossoyeur déguisé en magicien. Un retoucheur de cadavres maquillés en jeunes filles en fleur. Jeanne d'Arc, la France des clochers, les familles nombreuses, les veillées au coin du feu, catholique et français toujours... : comment ne pas avoir la larme à l'œil en l'écoutant, lorsqu'on est chômeur, ou mal loti, et entouré, dans sa cité, de mille miroirs vivants qui vous jettent à la tête une image de paumé — la vôtre ?

Les immigrés à l'avant-garde

A trop écouter Le Pen, pourtant, la désillusion serait grande. Non seulement parce que les immigrés resteront. Mais parce que, à force de les haïr, on ne voit pas ce qu'ils représentent, ou préfigurent : notre avenir.

L'hexagone n'a plus qu'une existence quasi formelle, demain ce sera l'Europe, et dans la société-monde qui s'ébauche, « les brassages, aussi bien des marchandises et des hommes que des valeurs et signes culturels, ne peuvent que s'accélérer et s'élargir davantage », écrit B. Lorreyte[160]. Hier, on pouvait

« faire son trou » dans le même lieu, et faire carrière dans la même entreprise ; demain, ce sera — c'est déjà — un rêve insensé : *mobilité, adaptabilité, recyclage, reconversion* seront les valeurs dominantes.

Celles-là mêmes que les immigrés pratiquent. S'ils s'étaient rivés à leurs habitudes comme beaucoup de Français (que de drames, déjà, lorsqu'on change quelqu'un de bureau ou de salle de classe, ou même lorsqu'on déplace une lampe ou une chaise !), ils n'auraient pas résisté longtemps. Or cela fait quinze, vingt ans qu'ils résistent. Souples, mobiles, parfaitement adaptés au changement (d'entreprise, de métier, de quartier, de région), à la nouveauté, au risque. Malgré des conditions de vie autrement plus dures que les nôtres. Malgré la xénophobie et le racisme.

Ces immigrés, qui sont déjà les migrants que nous serons demain, pourquoi s'acharner à les tenir à distance, et ne pas en faire, s'ils le désirent, des citoyens comme les autres ? Français de fait, pourquoi ne le seraient-ils pas de droit ? Plus généralement, pourquoi ne pas accorder à tous les étrangers qui vivent et travaillent dans ce pays la qualité de citoyens ?

Non, merci !

Le problème, c'est qu'ils n'y tiennent pas tellement. Ou pas dans les conditions qu'on leur impose.

Il y a quelque chose de surréaliste dans les débats actuels sur le projet de réforme du Code de la nationalité. Ici et là — gouvernement, parlementaires, commission des « sages », médias —, on discute gravement pour savoir quels critères retenir dans l'attribution de la nationalité française, de quelle façon l'accorder (démarche personnalisée de l'intéressé ? Serment solennel ?). Comme si l'État, par ailleurs si omniprésent, se trouvait tout à coup devant un vide législatif intégral, ou que le code actuel était une passoire. Comme si, surtout, les étrangers se bousculaient pour devenir français.

Le délire mégalomaniaque est si répandu, dans ce pays, qu'on ne pose nulle part cette question élémentaire, dont, pourtant, tout le reste dépend (car on ne traite pas de la même façon mille demandes ou un million) : combien de postulants ? Si grande est la conviction que tout le monde — tout le tiers monde, entre autres — rêve de devenir français !

Les chiffres, pourtant, devraient inciter à un peu plus de modestie. En 1982, sur une population totale de 54 273 000 habitants, on comptait, outre 3 680 000 étrangers, 49 167 000 Français de naissance et 1 426 000 Français par acquisition[161].

Les données globales parlent peu ? Regardées de plus près, elles sont plus éloquentes, en effet : pour la période 1979-1985, précise Jean-Michel Belorgey, député socialiste et auteur d'une thèse sur la question, « le total des acquisitions — qui comprend les naturalisations, les réintégrations, l'effet collectif de ces deux procédures (c'est-à-dire l'acquisition de la nationalité par les enfants mineurs), les déclarations par mariage, les déclarations durant la minorité — donne le chiffre de 337 676. Soit 48 240 personnes en moyenne par an depuis six ans.[162] »

La leçon est claire : « Le pourcentage des demandeurs par rapport aux étrangers présents en France est très faible. » Il apparaît encore plus faible, si l'on ne retient que le seul chiffre des demandes de naturalisation : 24 000 personnes, en moyenne, déposent chaque année un dossier. Parmi elles, très peu de Maghrébins : 0,37 % d'Algériens, 0,50 % de Marocains, 0,70 % de Tunisiens. Ceux dont on craint l'« invasion » sont les plus réticents...

Comment ne le seraient-ils pas ? Devenir français, pour des Algériens, c'est vivre l'histoire à reculons. Ou à l'envers. Effacer d'un trait l'aventure collective à laquelle, de près ou de loin, ils ont été mêlés pendant la guerre. Une guerre dont l'objectif était précisément de leur rendre une identité perdue. Vingt-six ans, c'est trop tôt pour oublier ce combat, ceux qui sont morts (il n'est guère de famille qui n'ait perdu quelqu'un), ceux qui sont restés au pays et qu'en partant on a eu le sentiment d'abandonner. Déposer une demande de naturalisation, c'est « trahir » et se renier. Loin d'être un fait, la nationalité algérienne est vécue comme une valeur : on l'a voulue, on l'a conquise ; y renoncer, c'est se perdre.

Sans doute convient-il, dans le détail, de nuancer ce jugement : l'idéalisation d'une nationalité est d'autant plus vive qu'on appartient aux catégories les plus pauvres de la population ; c'est alors le seul titre (la seule richesse) qu'on possède. Comme le constate Abdelkader Sayad, « ce sont les immigrés les plus bas placés dans la hiérarchie sociale et dans l'échelle des professions..., les immigrés les plus défavorisés économiquement... et culturellement, qui sont les plus irréductiblement hostiles à l'idée de naturalisation »[163].

Un ingénieur, un médecin, un énarque sont plus détachés : ils ont d'autres titres de satisfaction, ils valent surtout par ce qu'ils font, leur valeur sociale l'emporte sur leur appartenance nationale, plus banalisée ou moins investie : la bourgeoisie algérienne n'a rejoint le FLN que deux ou trois ans après le début de la guerre, quand il fut évident que toute autre solution (assimilation, victoire militaire française) était exclue...

Il n'empêche que si la position de classe, la fortune, la culture... peuvent relativiser l'importance de la nationalité, cette nationalité, pour un Maghrébin, n'est jamais neutre. Elle est toujours autre chose, et davantage, qu'une relation juridique entre un État et un individu.

Bien des jeunes réagissent comme leurs pères. C'est une erreur de croire que l'attachement au pays où l'on a grandi est plus fort qu'un lien familial. Il est vrai que ces jeunes ont été formés à la française — ils ont les mêmes mœurs, les mêmes goûts, les mêmes centres d'intérêt que leurs camarades, mais ils sont, beaucoup plus qu'eux, marqués par leur famille. Même s'ils jugent « les vieux » dépassés, ils les « respectent », comme ils disent. En clair : l'image paternelle, très fortement ancrée dans leur inconscient, les tient en respect, et les empêche de faire ce que, en toute logique, ils devraient faire : s'ils sont nés en France avant le 1er janvier 1963 (après cette date, ils sont français), demander leur naturalisation. Or beaucoup s'abstiennent. Même s'ils appartiennent à une famille moyenne, qui a tiré profit de son immigration, et s'est élevée socialement. Même s'ils ont fait des études, exercent un métier et n'ont d'autre avenir qu'en France.

« C'est complètement affectif »

La trentaine, Somia est née à Levallois, où elle vit toujours. Famille nombreuse — sept enfants — et, semble-t-il, parfaitement adaptée : ancien ouvrier à la Saviem, le père, aujourd'hui retraité, ne songe nullement à regagner sa Kabylie natale — « On a fait construire une villa, près d'Alger, mais c'est pour les vacances » —, ses fils, ses filles ont un métier. Samira travaille dans une banque, Arezki est dessinateur industriel, Azzedine, d'abord animateur culturel, a créé une entreprise, et vend des produits exotiques aux collectivités locales. Personne n'envisage de s'établir en Algérie — Djamel y a fait son service, mais l'a très mal vécu, Samira est revenue désenchantée, Somia, déçue (« Sur les plages, on nous aborde comme des touristes ») — mais tous veulent rester algériens.

« C'est complètement affectif, dit Somia ; mon père y tient... Pour le reste, il nous a toujours laissés libres : je n'ai pas été obligée d'apprendre l'arabe (je parle kabyle), je n'ai jamais fait le ramadan, je mange du porc ; à dix-sept ans, j'ai commencé à sortir, à vingt-trois ans, j'ai loué un studio avec une copine canadienne... à trois rues de chez nous...

« C'est vrai, je me sens tout à fait chez moi à Paris (Somia est attachée de presse dans une société pharmaceutique, et travaille le soir à Radio-Beur), mais je ne me vois pas disant à mon père : "Voilà, j'ai déposé un dossier à la préfecture..." Je ne peux pas lui faire ça... Évidemment, si le gouvernement français me reconnaissait comme citoyenne, ce serait différent, j'accepterais, comme beaucoup d'autres ; je voterais, par exemple... Mais prendre l'initiative, faire des démarches, non... »

« Je reste très attaché au Maroc »

Appartient-on à l'intelligentsia parisienne, on n'est pas davantage enclin à devenir français. Sans doute

Tahar Ben Jelloun trouve-t-il normal que de jeunes Maghrébins nés en France et qui ont ici leur avenir se fassent naturaliser. « Quand ils me demandent mon avis, je les encourage dans ce sens et les incite à être cohérents avec eux-mêmes : si l'on veut vivre ici, pourquoi rester étranger ? Il est plus sain d'aller jusqu'au bout de son choix. J'ai toujours essayé de dédramatiser ce problème, d'ailleurs, pour nous, c'est plus facile que pour les Algériens ; les Marocains sont moins chatouilleux sur ces questions de nationalité, ce n'est pas une obsession. »

Ce n'en est pas une, assurément, pour Tahar Ben Jelloun : « Si c'était nécessaire, dit-il, je demanderais ma naturalisation. Oui, bien sûr, si cela devenait intenable... » Mais ce ne l'est pas : professeur de philosophie, venu en France en 1971 pour soutenir une thèse de doctorat, il s'est « installé peu à peu » : « Je n'ai jamais décidé de vivre en France. Cela s'est fait comme ça... J'ai noué de nombreuses amitiés, j'ai commencé à écrire dans *le Monde*, et je suis resté. »

Avec, au début, une carte de séjour d'un an, renouvelable : « Quand j'ai commencé à publier des articles, j'ai fait partie des gens à surveiller de près... De temps à autre, j'étais convoqué à la Préfecture, et interrogé — de façon très courtoise — par des messieurs qui "s'intéressaient" au Maghreb. Aux relations algéro-marocaines... A la fin de l'entretien, ils me demandaient parfois de leur signer l'un de mes livres... On ne me convoque plus, et je bénéficie actuellement d'une carte de séjour de dix ans. »

Installé à Paris, se sentant à la fois d'ici et d'ailleurs — « Je suis la campagne électorale, comme j'ai suivi avec intérêt l'expérience socialiste, mais je me sens étranger à certaines polémiques de politique intérieure. Étranger aussi quand je franchis la frontière et qu'on épluche mon passeport » —, Tahar Ben Jelloun n'a pas rompu avec le Maroc : « Je reste très attaché à mon pays. J'y séjourne quatre mois par an. Ma famille ne me considère pas comme un émigré. Ni comme un exilé. Simplement, j'ai deux lieux de vie, et une double identité : je fais partie de la littérature française — j'écris en français, je publie à Paris —, mais je reste marocain par l'inspiration, par tout ce que me donne la terre où je suis né. »

Il est manifeste que Tahar Ben Jelloun aurait le sentiment de renoncer à quelque chose de très profond — sa singularité, son authenticité — s'il demandait la nationalité française. On ne voit pas ce qu'elle lui apporterait, on voit bien ce qu'elle lui enlèverait : cette sorte d'accord avec lui-même qu'il a su réaliser, sans rien renier, et ce pacte tacite, sans doute, qu'il a conclu avec son public : « J'ai beaucoup de lecteurs au Maghreb — très exigeants. Séminaires, conférences me permettent chaque année d'en rencontrer. C'est important, pour moi. Comme cela fut important, pour eux, que j'obtienne le prix Goncourt... »

Même pour un intellectuel, l'attachement à sa communauté d'origine demeure prépondérant, et la naturalisation reste toujours une démarche difficile. Il faut être français pour s'imaginer que c'est un honneur de le devenir : pour la plupart des postulants, c'est une nécessité pratique. Un pis-aller. On ne s'y résout que contraint.

« Je ne veux pas me banaliser »

Les Européens ne réagissent pas autrement que les Maghrébins. Plus ou moins vif, reste le sentiment d'une « trahison », ou d'un abandon ; on renonce à une certaine image de soi-même, et l'on en prend une autre, qui n'est pas aussi bien ajustée. Américaine, économiste, Katy, qui vit en France depuis six ans, hésite toujours : « Mon mari ne me pousse pas, il me comprend... Je ne me vois pas allant demander un visa au consulat US, ni faire la queue, à l'aéroport Kennedy, dans la file des étrangers... J'aurais l'impression de vivre faux. » Rosa a attendu plus d'un an avant de déposer sa demande : « J'avais tous les papiers, mais je ne me décidais pas ; le dossier dormait dans un tiroir... Je me sentais coupable envers mes parents (mais ils ont bien réagi). Et gênée par rapport aux autres Chiliens. Maintenant, c'est une affaire réglée, mais si vous me demandez qui je suis, je vous répondrai spontanément : *chilienne*. »

Comme Maria répond : « italienne ». Née en Calabre il y a trente ans, et résidant en France depuis... vingt-neuf ans, elle n'a pas envie de devenir française. Pourquoi ? Au début de notre entretien, elle prétend qu'elle ne sait pas : « Je n'ai pas réfléchi à cette question. » Puis elle évoque quelques souvenirs pénibles : « Je n'ai pas souffert du racisme, mais nous étions pauvres — mon père était maçon, il est mort dans un accident de travail —, et l'on nous rejetait... Jusqu'à treize, quatorze ans, j'ai eu honte de mon prénom... »

Est-ce une raison suffisante pour rejeter la nationalité française ? Maria ne le croit pas. Comme elle sait bien que sa vie n'est pas là-bas : « Quand je retourne dans mon village natal, c'est toujours une épreuve... Je me sens coupée d'eux, je suis très mal à l'aise... J'aurais pu devenir l'une de ces femmes, chargée d'enfants, soumise à son mari... »

Finalement, Maria trouve elle-même la raison qui la fait rester italienne : « Si je devenais française, j'aurais l'impression de me banaliser. C'est idiot, je sais bien, puisque je vis comme une Française moyenne (Maria est secrétaire dans un mensuel) ; de l'extérieur, rien ne me distingue des autres, mais de l'intérieur, si je peux dire, je me sens différente. Et ça, j'y tiens ! » En partant, Maria, qui me parle de son fils, Ugo, vérifie que je n'ai pas fait de faute d'orthographe : « Surtout pas de *h* ! dit-elle ; c'est un prénom italien... »

La petite différence... : si les dirigeants de ce pays étaient un peu plus psychologues, ils cesseraient de fantasmer (et de faire fantasmer) sur l'« invasion » étrangère, ou sur le risque d'une « subversion » interne, et insidieuse : très peu d'étrangers veulent devenir français... S'ils étaient moins démagogues, ils cesseraient de faire croire qu'ils ne disposent pas, actuellement, de moyens législatifs suffisants pour faire face à pareille « invasion ».

« Un code souple et ouvert »

« Il n'y a aucune raison juridique de modifier le Code de la nationalité. » Juge dans un tribunal d'instance parisien, Mme P. est formelle : « C'est à la fois, dit-elle, un code assez ouvert et très souple. Ouvert, parce qu'il ne dresse pas devant l'étranger qui souhaite devenir français des obstacles insurmontables. Très souple, parce qu'il laisse aux pouvoirs publics toutes sortes de facilités pour ne pas accorder la nationalité française. Je ne vois aucun argument sérieux qui justifie une réforme. »

C'est d'autant moins nécessaire, explique Me Iogna-Prat, que l'administration interprète généralement les textes dans le sens le plus restrictif.

« Les fonctionnaires qui ont en charge les dossiers de naturalisation n'ont même pas besoin de recevoir des instructions particulières pour se montrer vigilants : se considérant comme les défenseurs de l'intégrité nationale, ils sont a priori méfiants et *contre*. Quel que soit le régime : depuis 1981, je n'ai constaté aucun changement. On a beaucoup parlé d'intégrer les immigrés, mais, pratiquement, on n'a rien fait. Ou l'on a fait le contraire : on a expulsé, refoulé, rendu plus difficile l'immigration familiale, et rejeté, comme avant, bon nombre de demandes de naturalisation... Les services "tirent" au maximum sur les textes pour trouver une raison de dire non. Il faut vraiment être en règle, et plus qu'en règle, pour ne pas voir sa demande ajournée, ou rejetée. »

Être en règle, cela signifie, d'abord, n'avoir jamais été condamné. Même à une peine légère, assortie du sursis. On peut tuer une vingtaine de vieilles dames et rester français, mais si l'on vole un yaourt, on n'a aucune chance de le devenir. « L'une de mes clientes, une Bulgare mariée à un Français, raconte Me Iogna-Prat, a vu son dossier rejeté, parce qu'elle avait volé un collant de 25 F aux Galeries Lafayette... Une condamnation, même insignifiante, ne pardonne pas. »

Mme le juge confirme : « Au tribunal d'instance, nous ne recevons que les déclarations d'acquisition de nationalité — les demandes de naturalisation sont directement déposées à la Préfecture. Et l'acquisition n'est en principe qu'une formalité : marié(e) à un(e) Français(e), ou né(e) en France de parents dont l'un au moins y est né (art. 23), ou né(e) en France de parents étrangers et y résidant (art. 44), l'intéressé(e) déclare qu'il acquiert la nationalité française.

« Nous vérifions que son dossier est complet, puis nous le transmettons au ministère des Affaires sociales, qui dispose de six mois pour faire opposition. Chaque fois que l'extrait de casier judiciaire n'est pas vierge, le dossier est rejeté : tel cet étranger, par exemple, qui a été condamné pour vol simple à quatre mois de prison avec sursis ; il ne sera jamais français... Une condamnation quelconque — pour coups et blessures, rixe, abus de confiance... — suffit à motiver un rejet.

« Non, ajoute Mme le juge, les braves gens n'ont aucune raison de s'inquiéter : il faut vraiment montrer patte blanche... Contrôles, enquêtes deviennent de plus en plus stricts. Même quand il s'agit de Français d'origine, qui viennent nous demander un certificat de nationalité : s'ils sont nés à Madagascar, au Cambodge, au Viêt-nam, nous avons pour consigne de ne pas leur délivrer de certificat avant d'avoir consulté la Chancellerie. »

Il n'est même pas nécessaire d'avoir été condamné pour être écarté : il suffit d'avoir exercé une activité « moralement condamnable ». « Le Conseil d'État admet qu'une personne s'étant livrée à la prostitution avant son mariage, même si elle y a renoncé depuis, est indigne d'acquérir la nationalité française[164]. »

Innocence pénale : à cette première condition, s'en ajoutent deux autres — l'âge et la santé. Ne pas être trop vieux, ni infirme.

Ce n'est pas dit tel quel, assurément : le Code ne mentionne que l'âge minimum (dix-huit ans, ou plus tôt, à la demande des parents), et il prévoit (art. 71) un contrôle de l'état de santé. « Si vous êtes invalide, affirme Me Iogna-Prat, votre demande est irrecevable. On ne vous dit pas la vraie raison — le pays des droits de l'homme, vous n'y pensez pas ! —, on trouve un prétexte. » « Des circulaires internes, parfaitement illégales, ajoute J.-M. Belorgey, prescrivent d'écarter les personnes âgées. Elles coûtent cher à la collectivité... »

On peut évidemment, lorsqu'on a des doutes sérieux, ou des preuves (toujours difficiles à obtenir) déposer un recours : tribunaux judiciaires et administratifs, Conseil d'État sont là pour dire le droit ; mais, explique Me Iogna-Prat, « ces recours sont coûteux — 20 000 F au minimum — très longs : il faut parfois attendre cinq ans une décision... Beaucoup hésitent. Et se résignent. Ou ont peur, s'ils se manifestent, d'être expulsés. Ou ne savent même pas qu'ils ont la possibilité de se défendre... L'administration a une chance sur deux de n'avoir pas à s'expliquer : pourquoi se gênerait-elle ? »

Jamais condamné, plutôt jeune, ou dans la force de l'âge et en parfaite santé, l'étranger n'est pas certain, malgré tout, d'obtenir sa naturalisation. Encore faut-il qu'il soit assimilé. C'est à dire semblable en tous points à un Français. Ou le plus ressemblant. Et, en tout cas, le moins visible, le moins « repérable » — incolore et anonyme. Bref, qu'on ne se doute pas qu'il est étranger. Qu'aucun détail « déplaisant » ne le trahisse...

Pièce centrale du dispositif juridique, l'*assimilation* est aux fonctionnaires de la préfecture ce que l'*ordre public* est aux policiers : un concept fourre-tout, qui peut justifier n'importe quoi. Même s'il paraît, ici ou là, raisonnable.

« Ressemblez-nous ! »

Ainsi, être assimilé, c'est manifester, selon le code, une bonne connaissance de la langue française. Pratiquement, cette obligation ne gêne personne : on ne se précipite pas à la préfecture, dossier en main, en débarquant du Zimbabwe ou des îles Galapagos. Quand l'étranger fait sa demande, il réside en France depuis quelques années : la naturalisation sanctionne toujours un état de fait — une intégration déjà très avancée — et le problème de la langue ne se pose pas.

Au demeurant, tout candidat subit, sous forme d'entretien, un examen, qui se propose de vérifier (entre autres) ses connaissances linguistiques.

L'entretien ne dure généralement pas longtemps, et beaucoup sont déçus, qui aimeraient manifester, à cette occasion, qu'ils sont « dignes » de devenir français. Le contrôle n'est qu'une formalité : « Quand je suis arrivé à la préfecture, dit Roland Jaccard (suisse d'origine), une charmante hôtesse m'a fait savoir que je serais reçu par un inspecteur "littéraire". Délicate attention... En bavardant avec lui — il m'interrogea sur mes livres, je l'interviewai sur ses lectures —, je m'aperçus qu'il ne lisait pas, mais qu'il passait pour "littéraire" parce que, de temps en temps, il regardait *Apostrophes*... A la fin, il sortit d'un tiroir mon étude sur Freud et me demanda une dédicace. »

Examen où l'on n'échoue jamais ? Sans doute. Mais il arrive que la demande de naturalisation d'un couple soit rejetée, lorsque l'un des deux ne parle pas, ou à peine, français : généralement la femme, quand elle ne travaille pas. L'administration, qui ne donne pas dans la nuance, élimine également le mari. S'il est saisi, le Conseil d'État « rectifie » : seule la demande de l'épouse est rejetée.

Ces cas sont malgré tout assez rares, et la circulaire du 16 février 1976 ne fait pas de la connaissance du français un critère fondamental : c'est « un critère parmi d'autres, (qui) doit être apprécié en fonction du niveau social des intéressés et des contingences locales. A cet égard, l'évolution conduit à admettre que la connaissance du dialecte utilisé par les habitants de la contrée est a priori suffisante. »

Beaucoup plus importante que la « pureté » de la langue pratiquée est l'« assimilation aux mœurs et coutumes ». Toutes les circulaires y insistent : l'étranger, en aucune façon, ne doit « faire étranger ». Il lui faut vivre comme un Français. Ou selon la représentation que l'administration se fait d'une vie de Français.

Par là se manifeste le caractère ontologique, ou mystique, de la naturalisation, comme de la conception qui prévaut, en haut lieu, de l'être-français : l'étranger doit se diluer dans la substance de cet être, se l'assimiler, ne faire qu'un avec, fusionner. Toute différence devient donc hérésie. « Si vous avez un tapis de prière dans votre bureau, dit J.-M. Belorgey, vous êtes suspect ! »

Oui, pour peu qu'on prenne à la lettre la circulaire du 12 février 1974 :

« D'une façon générale est dit assimilé au sens de l'article 69 l'étranger qui par son langage, sa manière de vivre, son état d'esprit, son comportement à l'égard des institutions françaises, se distingue aussi peu que possible de ceux de nos nationaux au milieu desquels il vit. La venue en France dès le jeune âge, le non-usage de la langue du pays d'origine, le mariage avec un conjoint français, la présence au foyer d'enfants instruits dans nos écoles, la fréquentation exclusive ou préférentielle des Français, la participation à nos manifestations culturelles et sportives, la correction des relations avec l'ensemble de la population locale constituent autant d'éléments positifs... »

Non-usage de la langue du pays d'origine... Fréquentation exclusive ou préférentielle des Français... : concrètement, un Portugais assimilé est un Portugais qui ne parle plus portugais et ne fréquente plus de Portugais... Passons sur les présupposés idéologiques de cette circulaire — refus du droit à la différence, invite explicite à l'appauvrissement culturel (ne plus parler sa langue), incitation au national-chauvinisme (se marier avec un(e) Français(e), n'avoir pour amis que des Français, faire du sport avec des Français), encouragement au conformisme (« L'assimilation aux mœurs et coutumes est au moins aussi importante que la connaissance de notre langue », réaffirme la circulaire du 16 février 1976), repli sur l'hexagone érigé en vertu...

Pratiquement, ces textes, et quelques autres, permettent au pouvoir de refuser la nationalité française à qui il veut, comme il veut. Pour peu qu'il fasse jouer aussi, et dans un sens également restrictif, l'article 61 du code actuel (avoir en France « le centre principal de ses attaches familiales et professionnelles »), il a les mains libres. Totalement.

« Oubliez votre famille ! »

De fait, l'administration ne se gêne pas. Les tribunaux non plus. Même si le Conseil d'État annule, en dernier lieu, les décisions les plus injustes — celles, du moins, qui lui sont soumises.

Élevé en France, un Polonais demande, à sa majorité, la nationalité française. La Cour d'appel la lui refuse. Motif : « L'intégration effective dans un milieu français doit avoir pour point de départ l'absence de survie de tout autre milieu[165]. » Attendez donc la mort de vos parents... La Cour de cassation casse cet arrêt — n'empêche : il s'est trouvé des magistrats qui, pour justifier un refus de nationalité, ont invoqué la persistance des liens familiaux avec le milieu d'origine...

Un jeune Syrien se voit opposer la même raison. Élevé à Damas par des missionnaires français, il vient en France en 1974, obtient une maîtrise de mathématiques, s'inscrit à l'Institut catholique, fait fonction d'aide-sacristain dans une paroisse parisienne et, en 1981, demande sa naturalisation. Demande rejetée : il reçoit une pension de son père — il n'a donc pas rompu tout lien familial... Le Conseil d'État annule la décision de l'administration, qui lui paraît « d'une excessive rigueur, lorsqu'elle retient à l'encontre de l'intéressé qu'il a conservé des membres de sa proche famille sur le territoire de l'État dont il a la nationalité. S'il (s'était agi) d'une épouse ou d'un enfant », le Conseil d'État aurait approuvé le refus du ministère des Affaires sociales[166].

C'est ce qu'a fait un tribunal, en rejetant la requête d'un ressortissant sénégalais. Installé en France depuis 1972, muni d'une carte de séjour en règle, salarié — en quinze ans, il n'a changé que deux fois d'employeur —, cet homme se croyait irréprochable. Toujours à l'affût d'un prétexte pour dire non, l'administration, raconte Me Iogna-Prat, lui fit deux objections décisives : il était « étudiant », donc « instable » (en dehors de son travail, il suivait, pour se perfectionner, les cours du Conservatoire des arts et métiers !), il avait un enfant au Sénégal. Certes, c'était un enfant naturel, il n'en avait pas la garde, il ne lui versait pas de pension, la mère, qui vivait à Dakar, ne réclamait rien — et lui-même avait refait sa vie à Paris, où il résidait, depuis quinze ans, dans le même studio... Qu'importe ! Père d'un enfant resté au Sénégal, il n'avait pas en France « le centre principal de ses attaches familiales... »

Ce Polonais — pas davantage. Il vit en France depuis 1974 ? C'est un fait. « En concubinage notoire » avec une Française ? C'en est un autre. Mais il est encore marié : le divorce — en cours — avec son épouse polonaise n'est pas prononcé, et cette épouse habite Varsovie... Sa demande est rejetée[167].

Si ce n'est pas la famille, c'est la profession. « Du fait de circonstances douloureuses, bien des Libanais ont été amenés à quitter leur pays d'origine, écrit J.-M. Belorgey, mais ils ont gardé de nombreuses relations d'affaires avec des pays étrangers, et notamment des pays arabes. Cette circonstance semble être à l'origine d'un certain nombre d'ajournements — sinon de refus — de décisions de naturalisations. C'est une illustration d'une conception très « hexagonale » de la politique de naturalisation du ministère des Affaires sociales, qui semble en contradiction avec l'évolution transnationale des économies occidentales.[168] »

Une famille restée au pays, et à laquelle on tient, un enfant qui vit ailleurs avec sa mère, un divorce inachevé, des relations professionnelles avec l'étranger... N'importe quoi est prétexte à rejet : une traductrice — russe d'origine, mariée à un Français — a été

« ajournée », parce qu'elle était en rapport, de par son métier, avec des écrivains étrangers — des « espions » peut-être...

« Si la DST refuse... »

Toute demande de naturalisation déclenche, en effet, une enquête de police, parfois de la DST (cette enquête est systématique, quand il s'agit d'un réfugié politique) ; lorsque le candidat est de « mauvaises mœurs », ou que son « loyalisme » paraît suspect (par exemple, si « ses préférences... demeurent orientées vers une nation étrangère, fût-ce celle où il a vécu précédemment »), il est jugé « indigne » d'être français.

La DST rédige-t-elle un rapport négatif, il est rare qu'un ministre passe outre. Même lorsque le dossier est appuyé par d'autres ministres (tel celui de ce vieil Arménien, que recommandaient chaleureusement, en 1982, Gaston Defferre, Roland Dumas et quelques autres), le ministre concerné (celui des Affaires sociales) hésite : « Puisque la DST est *contre*... »

« Ce qui est grave, me dit un magistrat (qui fut longtemps conseiller technique dans un cabinet ministériel), c'est que la DST affirme et condamne souvent sans la moindre preuve. Ses agents s'appuient sur quelques critères très simples, pour ne pas dire simplistes : "Le monde est divisé en deux blocs, ceux qui viennent d'en face sont probablement des espions" (les femmes de l'Est qui épousent un Français sont automatiquement suspectes).

« Ou encore : "le Chili est l'allié des États-Unis. Les États-Unis sont nos amis. Donc tout opposant chilien est notre ennemi"... Leur conviction est faite, très souvent, avant tout entretien. Des entretiens très longs, très poussés, pleins de pièges, qui désarçonnent d'autant plus qu'on est innocent, et étranger à ce milieu... Il n'est pas difficile d'"embrouiller" quelqu'un, de l'amener à se contredire, et le fait le plus banal peut devenir une preuve, lorsqu'on est déjà convaincu que la personne est coupable... »

Suspect en entrant, éventuellement « coupable » en sortant, l'étranger n'est pas nécessairement rejeté. A condition qu'il se montre « coopérant ».

Réfugié politique, un Uruguayen, musicien connu, demande la nationalité française. La DST enquête, et le convoque. Une fois. Deux fois. « Vous n'avez pas tout dit... », lui fait-on remarquer la troisième fois... Étonné, puis inquiet, le musicien se demande quel « méfait » il a pu cacher : opposé au régime en place, il n'a jamais eu d'activité politique...

« C'est vrai, lui concède-t-on, mais certains de vos amis étaient en relation avec les Tupamaros, et ces amis-là ont vécu quelques semaines chez vous... Qu'est-ce qui nous prouve que vous n'étiez pas de mèche avec les terroristes ? » Le musicien se défend, explique, argumente : rien n'y fait, sa demande risque d'être rejetée. Abattu, il s'apprête à partir, quand l'inspecteur, tout à coup, le rassure : « Ne vous affolez pas, tout peut s'arranger... Si vous avez des renseignements à nous donner... J'attends quelques jours pour rédiger mon rapport... » Au moment de prendre congé, l'inspecteur lui tend, griffonné sur un bout de papier, son numéro de téléphone...

Ce musicien n'est toujours pas français... Peut-être le deviendra-t-il dans dix ans, dans vingt ans... Tel ce chercheur du CNRS, juif italien né en Égypte, qui attendit de 1950 à 1974 : un passé « peu clair », un présent « accablant » : il avait été interpellé, à Paris, dans une manifestation de gauche... D'autres obtiennent très vite leur naturalisation : telle cette réfugiée politique soviétique, qui milite activement (presse, radio), contre les « communistes », et considère de son devoir de transmettre à qui de droit ce qu'elle apprend sur « l'ennemi » : elle me communiqua très gentiment le numéro de son « correspondant », que je souhaitais interviewer ; non moins gentiment, il refusa...

La DST n'intervient pas seulement dans les affaires de naturalisation ; il lui arrive de s'opposer à une déclaration d'acquisition par mariage.

Arrêté en mai 1972, après le coup d'État militaire, T., célèbre chanteur uruguayen, est détenu trois semaines, puis, à la suite de multiples interventions, est libéré et banni.

Réfugié politique en France, il se marie en 1975 et, six mois plus tard, en février 1976, demande la nationalité française. En juillet, il reçoit une lettre du Premier ministre, qui l'informe, comme la loi l'y oblige, du prochain rejet de sa demande. « Le déclarant... agent de liaison du mouvement tupamaros... (est) susceptible d'appartenir à un commando... et de faire des attentats en Europe. » T. saisit la section sociale du Conseil d'État, qui estime injustifiées ces accusations, et émet un avis favorable à l'acquisition de la nationalité française. Le gouvernement n'en tient pas compte — et, par décret, la refuse.

T. attaque ce décret devant le Conseil d'État. Obligé de s'expliquer, le gouvernement ne produit aucune preuve — et pour cause : la DST n'en a pas. « T., ajoute le rapport officiel, continue de chanter en espagnol. Cette activité a un sens politique... Il œuvre dans un but révolutionnaire... Au vu des avis et rapports figurant dans son dossier, l'acquisition de la nationalité française lui est refusée. » En attendant que le Conseil d'État statue, toutes les polices d'Europe sont prévenues qu'un dangereux terroriste se cache derrière ce chanteur : lorsque T. arrive à Londres pour y donner un concert, il y est arrêté quelques heures.

Le Conseil d'État, enfin, rend un arrêt positif. Le décret est annulé, le ministre des Affaires sociales enregistre la déclaration de T. — qui est aujourd'hui français et uruguayen.

Les interventions de la DST ne gênent pas grand monde, sans doute : le magistrat déjà cité estime que, sur 20 000 demandes, 1 p. 100 font l'objet d'enquêtes très poussées. C'est peut-être peu, mais il ne dépend que du gouvernement que ce soit plus : par le biais de cette procédure — parfaitement légale et secrète (les avis de la DST ne sont pas notifiés à l'intéressé) — le pouvoir dispose d'une arme absolue contre toute personne qui souhaite obtenir la nationalité française. Comme à l'égard de toute autre qui, l'ayant acquise, peut la perdre, si elle se conduit comme le national d'un autre pays : une procédure de retrait est toujours possible.

Souplesse des critères d'assimilation (que gouvernement et tribunaux peuvent interpréter de façon large ou très stricte), enquête de « moralité », enquête policière : l'État peut accueillir ou refuser qui il veut : espoir du football français, l'Ivoirien Basile

Boli est naturalisé en quelques semaines ; suspect, parce que lié à la gauche égyptienne et à la gauche française, F., ex-réfugié politique, attendra, d'ajournement en ajournement, treize ans... La naturalisation n'est pas un droit, mais une faveur ; son refus n'a pas à être motivé.

A qui fera-t-on croire que les 20 000 personnes qui chaque année la sollicitent, comme les 20 000 qui chaque année font une déclaration d'acquisition, représentent une menace telle, pour l'État, qu'il se trouve soudain obligé de se donner un nouveau code ?

Étranges scrupules

Alors, pourquoi ce projet de réforme ? Pas pour les Beurs, qui, nés en France de parents français (les Algériens, avant l'indépendance) sont français. Restent les autres, nés en France de parents étrangers : s'ils résident en France à leur majorité, ils deviennent français sans formalités (art. 44).

Combien sont-ils ? 20 à 25 000 par an (en 1984 : 17 500). Ces 25 000 jeunes gens — français de fait — mettent donc la France en danger ! A cause d'eux, le gouvernement concocte une réforme, des « sages » discutent pendant des mois, les fascistes s'excitent, l'opinion s'émeut, les passions se déchaînent... Misérables politiciens, qui agitent un pays pour rien ! Ou pour gagner quelques milliers de voix, à droite... Je revois encore J. Chirac, lors d'une émission télévisée, manifestement agacé par Anne Sinclair, et lui répétant : « Mais enfin, madame, on ne force pas quelqu'un à devenir français ! »

Étrange respect, tout à coup, de la liberté individuelle ! A-t-on demandé aux « sujets français » des ex-colonies, aux Bretons, aux Basques, aux Savoyards... s'ils voulaient devenir français ? On les y a contraints. Par l'épée. Temps révolus ? Que non ! Si les méthodes ont changé, le principe demeure : c'est l'État qui décide.

L'article 17 du Code dispose qu'« est français l'enfant, légitime ou naturel, dont l'un des parents au moins est français ». Lui demande-t-on son avis ? L'article 21, qu'est français l'enfant né en France de parents inconnus ou de parents apatrides. Se soucie-t-on de son accord ? L'article 23, qu'est français l'enfant né en France de parents dont l'un au moins est français. S'enquiert-on de son désir ? Non, et c'est très bien : il suffit que tous ces Français puissent demander, comme tout un chacun, à être relevés de leurs liens d'allégeance.

Alors pourquoi, quand il s'agit de l'article 44, jouer brusquement les (faux) généreux et invoquer les grands principes ? Pourquoi — sinon par antiphrase et hypocrisie, puisque, au moment même où l'on prétend respecter le droit des individus à être ce qu'ils veulent, on les prive d'un droit qu'ils ne remettaient pas en question — celui d'être français dès leur naissance, comme tous les autres.

Un droit, au demeurant, qu'ils avaient parfaitement la possibilité de refuser. Contrairement à ce que l'on répète, les jeunes concernés par l'article 44 peuvent renoncer à la nationalité française — et certains le font : chaque année, on enregistre entre 1 200 et 1 500 refus (en 1981 : 1 387).

Certains connaissent mal leurs droits ? Qu'à cela ne tienne ! Il n'est pas difficile de les informer. Par voie de presse. Par avis personnalisé, envoyé par les mairies. Plus simplement encore : par l'école. On peut très bien imaginer que tous les jeunes, nés de parents étrangers, reçoivent à seize ans un formulaire, qui leur dise en substance : « Vous avez été considéré, jusqu'à présent, comme français ; mais vous avez la possibilité de décliner cette nationalité. Si tel est votre désir, remplissez cet imprimé et renvoyez-le. Sans réponse de votre part, vous êtes considéré comme ayant conservé la nationalité française. »

Quelle que soit la démarche retenue, ce doit être, absolument, une démarche de l'administration. Contraindre un jeune à prendre l'initiative — se rendre au tribunal d'instance ou à la mairie, confirmer qu'il veut rester (ou pire encore : *devenir*) français —, ce n'est pas seulement lui créer des difficultés parfaitement inutiles (difficultés avec lui-même, s'il se sent coupable, s'il a l'impression de trahir les siens, difficultés peut-être avec sa famille), c'est l'obliger à vivre pendant seize ans dans l'incertitude.

Né en France, scolarisé en France, il est français ; l'argument du libre choix n'est qu'une argutie de juristes mesquins et de politiciens xénophobes et démagogues. Car ce libre choix existe déjà. Que souhaite-t-on de plus ? Les propositions des « sages » n'apportent rien. Pire, elles sont en retrait par rapport au code actuel. Elles ne pouvaient pas ne pas l'être.

Les valets du pouvoir

La presse, presque unanime, a célébré la « modération » de leurs suggestions. Curieux « sages », nommés par le gouvernement et sommés de réfléchir sur une question que seule l'extrême droite avait posée! Chargés, en fait, d'atténuer ce qu'il y avait d'excessif dans le projet de réforme, et de fournir au pouvoir les termes d'un compromis qui ne soit pas une défaite. Sages-alibis, sages-prétextes. Habiles à donner un air d'objectivité à leur servilité, ils ont formulé des propositions très restrictives. Lesquelles, sous prétexte qu'elles ne répondent pas aux exigences du Front national, paraissent généreuses!

Une fois dépouillées de la phraséologie cocardière qui les enrobe (il faut sauvegarder « l'affirmation d'une identité française forte »), qu'apportent-elles, sinon toutes sortes de réserves et de restrictions? Fidèles à l'esprit du projet initial, les clercs de service maintiennent le principe d'une démarche individuelle pour les jeunes nés en France de parents étrangers. Mais ils perçoivent si bien le caractère discriminatoire de cette mesure qu'ils recommandent la discrétion : à l'occasion d'une démarche administrative quelconque (demande d'une fiche d'état civil, par exemple), le jeune exprimerait son désir d'être français. A l'oreille du guichetier? En catimini, et sans en avoir l'air? Lamentable! Au moins ceux qui exigeaient un serment de fidélité à la République, avec fanfare et trompette, étaient-ils logiques avec eux-mêmes!

Les « sages », eux, se voilent la face et brouillent les cartes : « Ce n'est rien du tout, faites-le comme ça, en passant... » Mais si ce n'est rien, pourquoi le faire? « Sages » honteux. Parce qu'ils savent bien qu'en maintenant le principe d'une pareille démarche, ils introduisent une discrimination raciste dans le droit français.

« Imaginez deux enfants, dit Hervé Le Bras, ils

naissent dans la même cité, fréquentent la même école, partagent les mêmes jeux... A seize ans, l'un continue à vivre normalement, on ne lui demande rien ; l'autre doit faire une déclaration. Confirmer qu'il est ce qu'il est : français. L'État le discrimine sur une qualité dont il n'est pas maître — la nationalité de son père — et l'oblige à cette démarche parce que, bien que pratiquement français, il ne l'est pas par le sang. C'est tout simplement une discrimination raciste. »

De deux choses l'une, en effet. Ou la nationalité française a une telle valeur que chacun doit s'en montrer digne et la demander ; dès lors, le Code précise que *tout* adolescent, dès seize ans, doit exprimer son désir de l'acquérir ; jusqu'à cet âge, chacun n'est qu'un « stagiaire de la nationalité française » — comme Xavier Vallat, commissaire général aux questions juives, en 1941, appelait les enfants juifs nés en France de parents étrangers[169]...

Ou bien la nationalité est un fait de hasard, et l'on est le national du pays où l'on est né ; la règle, en ce cas, vaut pour tout le monde, et il n'y a rien à demander, pour personne. (La seule démarche envisageable consistant, éventuellement, à décliner cette nationalité.) Comme l'écrit Harlem Désir, « la bonne réforme à faire est d'étendre le bénéfice de l'article 23 à tous ceux qui naissent en France et qui y grandissent. Ils devraient être français à la naissance, quitte à conserver une possibilité de répudiation jusqu'à dix-neuf ans[170] ».

Les « sages » souhaitent également que les binationaux accomplissent leur service militaire dans le pays où ils résident habituellement. Chauvinisme : ils sanctionnent la double nationalité, et suppriment une liberté que les pouvoirs publics n'ont cessé d'élargir depuis... soixante et un ans ! Sans que la droite s'en émeuve. Sans qu'à gauche certains s'inquiètent.

L'Algérie (1983) n'est pas seule concernée, ni Israël (1959). Des accords semblables existent avec l'Argentine (1927), le Paraguay (1927), le Chili (1928), la Colombie (1949), la Grande-Bretagne et l'Irlande (1949), le Luxembourg (1949), la Suisse (1958), l'Espagne (1969), l'Italie (1974), la Tunisie (1982)[171]... Pourquoi remettre tous ces accords en question ? (« Renégocier », disent hypocritement les « sages »). Est-on meilleur citoyen parce que, pendant un an, on a subi l'ordre militaire français et perdu son temps dans une sinistre caserne de Romorantin ? Puisque les binationaux ont la possibilité de faire une autre expérience et, à l'occasion d'une corvée inepte, de changer de milieu et de voir du pays, pourquoi pas ? Qu'ils en profitent !

« Et s'il y a une guerre, à qui le binational sera-t-il fidèle ? », objecte-t-on souvent. A lui-même. Aux valeurs auxquelles il croit. National ou binational, on ne répond pas à un ordre de mobilisation comme un chien à un coup de sifflet : des Autrichiens ont refusé de s'engager dans la Wehrmacht, des Américains se sont révoltés contre la guerre du Viêt-nam, des Français ont dit non à la guerre d'Algérie... « L'impôt du sang »... Si impôt il faut payer, c'est à une cause juste. Non à une cause nationale parce que nationale.

Les mariages mixtes, enfin : là encore, aveuglés par leur chauvinisme, les « sages » proposent de doubler — en l'étendant à un an — le délai d'acquisition de la nationalité française pour le conjoint étranger. Phobie des mariages blancs : il n'y en a pas plus de 4 000 par an, estime un magistrat. Ce chiffre tombera-t-il à 3 500, si l'on attend un peu plus ?...

Lamentable ! Six mois de « travaux », trente-sept séances, pour en arriver là ! Pour donner à la réaction ses lettres de noblesse, et un air d'intellectualité (de « sérieux », de « réfléchi ») à une attitude profondément archaïque et primitive (la fermeture à l'étranger, le repli sur soi). Non, ces propositions ne méritaient pas une telle publicité : le Code de 1973 — puisque code il doit y avoir — est l'un des moins mauvais possible. Il n'a pas à être réformé.

Mais son application doit l'être : la plupart des circulaires qui la définissent sont scandaleuses. Un gouvernement respectueux de la dignité et de la liberté individuelles devrait, d'urgence, les abroger. En précisant — par d'autres circulaires... — qu'un étranger qui souhaite devenir français a le droit d'être âgé. Le droit d'être malade. Le droit d'avoir ailleurs des membres de sa famille, et d'y être attaché. Le droit de s'intéresser à son pays d'origine, et de pratiquer aussi, en France, sa langue maternelle. Le droit, enfin, de ne pas devenir un indicateur de la DST et, s'il a volé un collant ou un yaourt, de ne pas être considéré comme un pestiféré, pour toujours...

Autrement dit, il convient de substituer au critère d'assimilation — critère cannibale, critère xénophage, injustifiable négation de la personnalité d'autrui — le critère d'intégration. Intégrer l'étranger, c'est l'accepter tel qu'il est. Avec ses différences. Sans l'obliger à prendre la livrée du Français moyen. Sans lui imposer une castration symbolique, indigne d'un pays civilisé. Sans lui faire l'injure de l'« assimiler » à un Le Pen !

N'importe quel gouvernement « modéré » ou « libéral » pourrait agir en ce sens. Sans que personne (ou suis-je trop optimiste ?) y trouve à redire.

Le vrai problème — que ni la gauche ni la droite ne pourront éluder longtemps — est ailleurs. Problème éthique. Ou de justice sociale à l'égard de tous ceux qui ont aidé la France à devenir ce qu'elle est (ou l'ont empêchée de décliner davantage) : les immigrés. On a cru longtemps qu'ils partiraient. On sait qu'ils resteront. Mais on ne veut pas le savoir. Pas plus Mitterrand que Chirac.

Ceux qui espéraient qu'avec un président de « gauche » la situation changerait savent désormais à quoi s'en tenir : demain ressemblera à hier. Procès d'intention ? Nullement. Évoquant le devenir des immigrés, lors de son duel télévisé d'avril avec Chirac, Mitterrand a été on ne peut plus clair.

Faussement interrogatif (« Et puis, il y a ceux qui sont là avec leur contrat de travail et leur carte de séjour. Est-ce qu'il y en a trop ? »), il estime qu'« il faut réduire (leur) nombre, bien entendu ». En regrettant, par-dessus le marché — puisqu'« ils se sont installés, (qu') ils ont fondé une famille..., parfois épousé des femmes françaises » — qu'il soit « très difficile de les traiter sans nuance » ! Pas un mot sur l'essentiel — l'intégration des étrangers —, mais un coup d'œil complice à Le Pen : on maintiendra la « loi Pasqua » — loi scélérate s'il en est, puisqu'en matière d'entrée, de séjour et d'expulsion elle donne force de droit à l'arbitraire.

Comme l'écrit Robert Solé dans *le Monde* du 30 avril, Chirac et Mitterrand « n'ont pas réussi à beaucoup se distinguer l'un de l'autre sur les remèdes à apporter... Bonnet rose et rose bonnet ?... Les deux candidats se rejoignent, en réalité, sur l'essentiel ».

Ceux qui contribuent depuis si longtemps à l'enrichissement économique de la France, à son équilibre démographique, à son renouveau culturel sont donc condamnés à attendre encore longtemps que le pouvoir politique — quelle que soit sa couleur — reconnaisse enfin leur droit à la dignité.

Ce droit-là ne se confond pas nécessairement avec le droit de vote. Que F. Mitterrand ait renoncé à l'accorder aux immigrés est assurément un signe de plus de son opportunisme, mais ce reniement n'est pas très grave : le « vote immigré » ne serait qu'une demi-mesure. Ou une mesure bâtarde. Pourquoi le restreindre, en effet, aux élections municipales ? Les immigrés seraient-ils incapables de choisir des députés ? Mais s'ils le font, pourquoi ne pas leur reconnaître le droit d'être élus ? Parce qu'ils sont étrangers ? Mais des étrangers qui exercent des droits politiques sont-ils tout à fait des étrangers ?... Arguties, arguties...

Il ne sert à rien de se référer à 1789. Et de réutiliser la notion de citoyenneté. A l'époque, elle seule comptait, et la reconnaître aux étrangers avait un sens : ils devenaient français à part entière — puisqu'on ne distinguait pas (juridiquement, politiquement) entre français et citoyen. Aujourd'hui, on *distinguerait* — et c'est précisément pour distinguer l'étranger du Français que certains proposent de faire de l'étranger un citoyen qui ne serait pas un national. Mais que serait-il ? Un national diminué ? Un demi-national, avec certains droits seulement ?

Non, être fidèle à l'esprit des révolutionnaires de 89, c'est accepter que les étrangers deviennent, s'ils le désirent, des Français comme les autres. La solution consisterait donc à accorder très libéralement la nationalité française à tous les étrangers établis en France depuis trois ou cinq ans. Et à faire de ce qui est actuellement une faveur un droit. A la naturalisation — soumise à l'arbitraire du Prince — se substituerait une déclaration d'acquisition (comme pour le mariage), que l'étranger ferait à l'occasion d'une démarche administrative. Le gouvèrnement disposerait d'un délai de six mois pour s'y opposer. En donnant les raisons de son refus. Et en laissant à l'étranger toute liberté de faire appel.

Devenu français, l'étranger ne serait nullement obligé de renoncer à sa culture d'origine, pour peu qu'elle ne contrevienne pas aux lois établies. Et aucune loi n'interdit de porter une djellaba, de préférer la kacha ou le couscous au steak-frites, de parler russe ou arabe, d'avoir à Tombouctou ou à Moscou une famille qu'on ne rejette pas...

Ainsi la nationalité serait-elle désacralisée, démythifiée, et dépouillée de tous les oripeaux idéologiques qui l'enrobent et la dénaturent actuellement. Banalisée, elle apparaîtrait enfin pour ce qu'elle est : une relation d'ordre juridique entre une personne et un État.

Une simple démarche administrative — une formalité — suffirait, au vu de quelques critères très neutres (résidence, travail...), à l'établir. L'étranger déposerait son dossier au tribunal d'instance de sa commune, comme on dépose une demande d'abonnement à l'EGF ou aux PTT, et le guichetier, loin de faire grise mine, se réjouirait d'accueillir un nouvel adhérent.

Une jeunesse généreuse

S'ouvrir à l'étranger. Le remercier de sa confiance. Lui savoir gré de l'honneur qu'il nous fait en choisissant notre société... Comme on en est loin ! Expulsions, refoulements, atteintes au droit d'asile, projet de code réactionnaire chez l'un, volonté, chez l'autre, de ne pas toucher à un texte qui « laisse l'administration entièrement libre de (sa) décision » (accorder ou refuser la naturalisation), célébration tapageuse des « valeurs » les plus archaïques (chauvinisme, esprit guerrier...)..., la France officielle bafoue quotidiennement les exigences de la démocratie et les idéaux de 1789.

Y compris dans cette gauche, autrefois « respectueuse », aujourd'hui « respectable » et « réaliste », où personne, pendant cinq ans, n'a songé à humaniser ne serait-ce que les conditions d'accueil des étrangers dans les services publics (« Nous nous honorerions en rendant les procédures moins humiliantes : attentes interminables et répétées, rebuffades... » F. Mitterrand). Où pas une voix, pas même une voix d'intellectuel, ne s'est élevée, quand derrière le Florentin (faussement) charmeur est réapparu l'implacable ministre de l'Intérieur de la IVe République — celui qui déclarait : « L'Algérie, c'est la France » (1954), « La seule négociation, c'est la guerre » (1956), et qui, fidèle à lui-même, écrit aux Français : « Je ne crois pas que l'antériorité historique des Canaques sur cette terre suffise à fonder le droit... L'indépendance... signifie la guerre civile... Le garant de (la) paix ne peut être que la République française. » La paix des cimetières et des grottes ensanglantées ?

Hélas, ce n'est pas seulement la France officielle, celle des Chirac, celle des Mitterrand, qui est atteinte. Défigurée, comme l'écrit Jean Lacouture, par « cette tache brune qui marque pour longtemps (son) visage décomposé ». C'est la société civile elle-même qui se décompose : que les 15 p. 100 d'électeurs qui ont voté Le Pen ne soient pas tous fascistes, c'est évident ; mais cet électorat exprime, de façon caricaturale ou paroxystique, des tendances (des pulsions ou des aspirations) très largement présentes dans de larges couches de la population.

Si les représentants d'une droite dont on se demande pourquoi certains l'appellent « civilisée » avaient craint de choquer l'opinion, se seraient-ils permis de tenir les propos ignobles qu'on a entendus peu avant le 8 mai ? « Le gouvernement a eu le choix entre la mort de vingt-trois Français et... » (Pasqua). « Il y a des Canaques qui sont morts, mais il y a aussi des Français qui sont morts » (Messmer). « La barbarie de ces hommes, si tant est qu'on puisse les qualifier ainsi... » (Chirac). Le poisson, comme disent les Chinois, pourrit sans doute par la tête ; mais quand la tête est plus que pourrie, comment le corps resterait-il intact ?

Pourtant, la gangrène ne l'a pas (pas encore ?) gagné dans son entier : ici et là, la vie l'emporte sur la mort, la main tendue sur le poing fermé, le sourire sur les grimaces de haine, l'appel à la fraternité sur les appels au meurtre... « Nous sommes tous des juifs allemands », criaient les étudiants de mai 68, et Malik Oussekine n'est pas mort pour rien : c'est grâce aux manifestations de ses camarades que le gouvernement Chirac, en décembre 1986, retira précipitamment son projet de réforme du Code de la nationalité.

L'histoire ne se répète sans doute pas, et il se peut que la jeunesse ne se mobilise plus de sitôt. Surtout si le pouvoir ne fait rien (ou fait en douce). Mais elle se montre, sur ces questions, beaucoup plus ouverte que ses aînés. La plupart des garçons et filles que je vois dans mes classes (j'ai la chance d'enseigner dans un lycée où il y a beaucoup de binationaux et d'étrangers) ne paraissent pas obsédés par les (faux) problèmes de nationalité ; être français, pour eux, n'est manifestement pas une valeur fondamentale, ni même une valeur.

En cours d'année, je leur ai demandé de réfléchir sur leur nationalité (ce qu'elle représentait pour eux, s'ils en étaient « fiers »). Voici, parmi beaucoup d'autres, trois réponses très représentatives :

— « Être français, c'est peut-être simplement faire partie intégrante de la société française, partager sa culture, son mode de vie... Certains éprouvent de la fierté au fait d'être français. Il m'est difficile de partager ce sentiment. Peut-être parce que mes parents sont des "étrangers" et qu'ils n'ont pas développé en moi cet "amour de la patrie" — ce dont je les remercie. Cette intégration incomplète me permet d'avoir un éclairage différent, de prendre mes distances vis-à-vis des discours nationalistes ou patriotiques, et de ne pas connaître la joie de frissonner au son de la *Marseillaise*, comme tout Français qui se respecte.

« Le fait d'être né et de vivre en France, de n'avoir jamais vécu dans un autre pays, sauf durant les vacances, d'accepter mes devoirs envers la France et mes droits politiques, fait que je me considère comme un Français à part entière.

« Sur le plan administratif, j'attends toujours mon

certificat de nationalité française, qui me permettra d'obtenir une carte d'identité — puisque de nos jours on n'est vraiment considéré comme français que lorsqu'on possède cette carte. Encore faut-il éviter d'avoir le teint basané, les cheveux crépus et un nom à consonance étrangère, et vous pourrez enfin vous fondre dans la masse des "vrais" Français. Le jeu en vaut-il la chandelle ? » (Thierry, dix-huit ans, d'origine portugaise.)

— « Je suis de nationalité française comme j'aurais pu être de n'importe quelle autre nationalité. Ce n'est pas plus une gloire qu'un fardeau, c'est un fait. Je n'en tire aucun mérite, aucune fierté, parce que l'on ne peut pas être fier de quelque chose dont on n'est pas responsable.

« Être français, c'est peut-être plus "chanceux" que d'être éthiopien ou polonais, mais ce n'est absolument pas quelque chose dont on puisse se glorifier. »

Non, Christophe (dix-sept ans), qui répond ainsi, ne répète pas le cours...

Natacha (dix-neuf ans) non plus :

— « La France est un territoire que de nombreux peuples ont conquis les uns après les autres, ils se sont mélangés, et les Français-français, s'ils ont jamais existé, ont disparu depuis belle lurette !

« De nos jours, la langue a l'air d'être le trait d'union principal. Pourtant, certains Alsaciens ne parlent qu'allemand — et ils sont français ; de même, dans beaucoup de régions, on utilise un patois ; je connais des villages où, il y a quelques années, on ne comprenait pas les Parisiens.

« Autrefois, les Français étaient tous catholiques ; maintenant, être français et ne pas être catholique est très répandu.

« Connaître la culture française n'est pas nécessaire pour être français ; il y a tellement de gens incultes ! Et personne ne met en question leur nationalité.

« La galanterie a disparu devant les portes d'un métro bondé. La bonne cuisine française est remplacée par les surgelés et les déshydratés.

« Depuis que les voyages sont faciles, la France n'est qu'un lieu de passage où l'on naît par hasard et où l'on habite par intérêt.

« Être français n'a qu'un sens administratif. C'est une question de papiers.

« Ce qui compte, pour moi, c'est d'être moi-même — Natacha. »

On peut ergoter sur certaines remarques, mais que cette décontraction (très répandue) est rafraîchissante ! Sains, généreux, ces jeunes ne sont pas contaminés par le virus nationaliste, et s'il leur arrive de vibrer un peu plus quand une équipe française gagne un match, cela ne va guère plus loin : dans leurs relations avec autrui, leur façon d'aborder les différences de cultures, leur curiosité à l'égard de ces cultures, ils font preuve d'une très grande ouverture ; et, sans qu'ils s'en doutent, ils achèvent de cicatriser les vieilles plaies de mon enfance.

Il m'arrive, en les entendant parler, ou s'interpeller — « *Ramon... Djamel !... Samia !* » — de revoir, le temps fugitif d'une image, mes années d'école, quand des petits camarades hargneux (à l'image de leurs parents) ou des maîtres stupides m'interpellaient : « En quoi tu causes ?... D'où vient ton nom ?... » Lorsque mes élèves apprirent, en feuilletant mes livres, que je parlais russe, ils me demandèrent de les initier à cette langue. Mais qu'allaient-ils faire de quelques bribes ? « Ce n'est pas grave, on continuera tout seuls... Le russe, l'arabe, c'est l'avenir ! »

Lucides, ils regardent devant eux, et se moquent des frontières. Quand leurs aînés, myopes et obtus, regardent derrière — indifférents au monde qui change, prisonniers de leurs nostalgies cocardières et de leurs fantasmes identitaires.

Leurs aînés !

Imaginez que dans quelque province de l'hexagone, le Berry par exemple, « sages » et notables discutent gravement pour savoir qui est (et n'est pas) berrichon, en quoi consiste l'essence de la berrichonnerie, à quelles conditions un étranger peut se berrichonner, et qu'on exige des candidats à ces berrichonnades qu'ils prêtent serment au Berry éternel...

Grotesque ? Bien sûr. Mais ce grotesque-là est le nôtre : ces Berrichons, c'est nous. Posant de faux problèmes. Nous excitant sur des mythes. Nous gargarisant de mots creux. La nationalité a toujours été un attrape-nigaud, elle l'est plus que jamais, dans l'Europe qui se construit, dans la société-monde qui s'ébauche.

A l'heure où les frontières n'ont déjà plus qu'une existence archaïque, où les communications et les échanges deviennent planétaires, où les problèmes majeurs (guerre et paix, plein emploi, la faim dans le monde...) ne peuvent recevoir de solution qu'internationale, se barricader dans son pré carré érigé en fortin, tirer quelque gloriole d'être français, ce n'est pas seulement se couvrir de ridicule, c'est entrer dans le XXIe siècle à reculons. Se tromper d'époque et d'objectif. Se croire au temps des canonnières, quand d'autres explorent l'espace. Fantasmer sur l'accessoire en oubliant l'essentiel et, quand le doigt montre la lune, ne regarder que le doigt — ce qui est le propre, dit un proverbe chinois, des imbéciles.

L'avenir n'est pas à ceux qui prennent une carte d'identité pour un brevet d'invention, ni un certificat de nationalité pour une attestation de génie. Les grands hommes, les grands peuples — ceux qui *créent*, parce qu'ils s'ouvrent aux autres et s'enrichissent de leurs différences — n'ont que faire de ces hochets. Ils mettent leur drapeau dans leur poche (mais ils n'ont pas de drapeau !) et ne connaissent, comme signe de ralliement, que le beau nom d'humanité.

NOTES

1. Régine Pernoud, *Histoire du peuple de France,* Nouvelle Librairie de France, 1951.
2. Pierre Miquel, *Histoire de la France,* Fayard, 1976, p. 4 et 5.
3. Cf. E. Chayon et A. Cambon-Thomson, *Génétique des populations humaines,* Éditions de l'INSERM, 1986.
4. Dr Barillon, *les Caractères nationaux, leurs facteurs biologiques et psychologiques,* 1920, p. 62 ; cité par Ralph Schor, *l'Opinion française et les étrangers,* Publications de la Sorbonne, 1985, p. 180.
5. J.-M. Le Pen, *les Français d'abord,* Éditions Carrère, 1984 ; cité par Edwy Plenel et Alain Rollat, *l'Effet Le Pen,* La Découverte, 1984, p. 27.
6. Jean Pluyette, *la Doctrine des races et la sélection de l'immigration en France,* 1930, p. 46 et 90 ; cité par R. Schor, *op. cit.,* p. 180.
7. A. Carrel, *l'Homme, cet inconnu,* Plon, 1936.
8. *Le Temps,* 5 août 1920 ; cité par R. Schor, *op. cit.,* p. 180.
9. Cité par R. Schor, *op. cit.,* p. 123.
10. Romain Marie, in *Présent,* février 1979 ; cité par E. Plenel et A. Rollat, *op. cit.,* p. 24.
11. J. Giraudoux, *Pleins Pouvoirs,* 1939, p. 65 ; cité par R. Schor, *op. cit.,* p. 161.
12. Cité par E. Plenel et A. Rollat, *op. cit.,* p. 24.
13. G. Gaudy, *l'Action française,* 14 août 1933 ; cité par R. Schor, *op. cit.,* p. 181.
14. Lors d'un meeting à la Mutualité, organisé par le Front national, le 16 octobre 1983 ; cité par E. Plenel et A. Rollat, *op. cit.,* p. 13.
15. Cf. Suzanne Citron, *le Mythe national,* EDI, 1987, p. 85.
16. Bernard Lorreyte, « la Fonction de l'autre », in *Éducation permanente,* décembre 1982, p. 82-83.
17. M.T. Maschino et Fadéla M'Rabet, *l'Algérie des illusions,* R. Laffont, 1972.
18. M.T. Maschino, *le Reflux,* Pierre Jean Oswald, 1975.
19. Paul Oriol, *les Immigrés, métèques ou citoyens ?* Syros, 1965.

20. Louis Pauwels, *le Figaro-Magazine*, 5 septembre 1987.
21. Rémy Leveau, *les Effets politiques de l'installation de l'immigration maghrébine en France*, Institut d'études politiques de Paris, octobre 1987.
22. Gérard Noiriel, *le Creuset français*, Le Seuil, 1980, p. 105-106.
23. Cité par Émile Malet, *Adresse sur l'immigration aux bonnes âmes de droite et aux belles consciences de gauche*, Éditions J. Clims, 1987, p. 42.
24. *Le Monde*, juillet 1984.
25. R. Schor, *op. cit.*, p. 106.
26. *Ibid.*, p. 350.
27. Éditions Alain Moreau, 1975.
28. Margaret Mead, *Mœurs et Sexualité en Océanie*, Plon, 1963.
29. Cf. plus loin, p. 196.
30. Cité par Roland Jaccard, *Dictionnaire du parfait cynique*, Hachette, 1982, p. 107.
31. J. Laplanche et J.-B. Pontalis, *Vocabulaire de la psychanalyse*, PUF, 1967, p. 169.
32. Béatrice Philippe, *Être juif dans la société française*, Hachette, 1981, p. 295.
33. *Ibid.*
34. Janine Ponty, revue d'histoire *XXe Siècle*, p. 52 ; cité par É. Malet, *op. cit.*, p. 32.
35. R. Schor, *op. cit.*, p. 262.
36. *Ibid.*, p. 335.
37. *Ibid.*, p. 334-335.
38. É. Malet, *op. cit.*, p. 30.
39. R. Schor, *op. cit.*, p. 144.
40. *Ibid.*, p. 145.
41. René Rey, *la Police des étrangers en France*, 1937, p. 26 ; cité par R. Schor, *op. cit.*, p. 145.
42. Jean Anglade, *la Vie quotidienne des immigrés en France, de 1919 à nos jours*, Hachette, 1976, p. 108.
43. Revue *Pluriel*/CRISPA, *la France au pluriel*, L'Harmattan, 1984, p. 103.
44. *Ibid.*, p. 106.
45. *Ibid.*, p. 106.
46. Cité dans un article publié par Salah Bouaziz dans le journal *l'Indépendant*, 23 novembre 1982.
47. Revue *Pluriel*, *op. cit.*, p. 105.
48. Nice, octobre 1982 ; cité par E. Plenel et A. Rollat, *op. cit.*, p. 29.
49. Déclaration de juillet 1983 ; cité par E. Plenel et A. Rollat, *op. cit.*, p. 239.
50. Danièle Lochak, *Immigration: glissements du discours et pratiques à la dérive*, Publications du GISTI (Groupe d'information et de soutien des travailleurs immigrés), juin 1987.

51. Pierre Vial, « Quand l'Arabe était le diable », in *Éléments*, printemps 1985.
52. *Ibid.*
53. Maxime Rodinson, *la Fascination de l'islam*, Maspero, 1980, p. 70.
54. *Ibid.*
55. G. Flaubert, *Correspondance*, Gallimard, 1973, I, p. 542 ; cité par Edward Saïd, *l'Orientalisme*, Le Seuil, 1980, p. 122.
56. Chateaubriand, *Œuvres romanesques et voyages*, Gallimard, 1969, II, p. 702 ; cité par E. Saïd, *op. cit.*, p. 198.
57. Lamartine, *Voyage en Orient*, Hachette, 1987, I, p. 10 ; cité par E. Saïd, *op. cit.*, p. 206.
58. Renan, *Œuvres complètes*, Calmann-Lévy, 1947, VIII, p. 156 ; cité par E. Saïd, *op. cit.*, p. 174.
59. Catherine de Wenden, *Citoyenneté, nationalité et immigration*, Arcantère Éditions, 1987, p. 122.
60. Paul Leroy-Beaulieu, in *l'Économiste français*, 6 janvier 1883 ; cité par C. de Wenden, *op. cit.*, p. 112.
61. R. Schor, *op. cit.*, p. 37 et suiv.
62. *Ibid.*, p. 295, 354, 419 et suiv.
63. *Ibid.*, p. 169.
64. J. Giraudoux, *op. cit.* ; cité par R. Schor, *op. cit.*, p. 265.
65. R. Schor, *op. cit.*, p. 295, 298.
66. D. Lochak, *op. cit.*, p. 12.
67. Cité par E. Plenel et A. Rollat, *op. cit.*, p. 29 et 107.
68. Rapport d'activité du service juridique du MRAP (du 1er janvier 1986 au 31 décembre 1986), qu'Albert Lévy a eu l'amitié de me communiquer.
69. R. Schor, *op. cit.*, p. 297.
70. Cité par le MRAP, *op. cit.*
71. *Ibid.*
72. *Ibid.*
73. *Ibid.*
74. Ces chiffres — les plus récents — m'ont été communiqués par Maryse T., auteur d'une thèse soutenue à Paris VII et non encore publiée sur *l'Immigration dans la classe ouvrière française*.
75. *Actualités-Migration*, revue de l'ONI (Office national d'immigration), 23 mars 1987, p. 10.
76. Source : INSEE ; cité par É. Malet, *op. cit.*, p. 27.
77. *Économie et Statistique*, n° 119, juillet 1985 : « Nuptialité et fécondité des étrangères. »
78. Sigrid Hunke, « Ce que l'Europe doit aux Arabes », in *Éléments*, *op. cit.*, p. 34.
79. Bruno Étienne, *l'Islamisme radical*, Hachette, 1987, p. 72.
80. M. Rodinson, *Marxisme et monde musulman*, Le Seuil, 1972, p. 129 et 234.

81. Fadéla M'Rabet, *les Algériennes,* Maspero, 1967.
82. Assemblée nationale, 28 janvier 1958 ; cité par A. Rollat, *les Hommes de l'extrême droite,* Calmann-Lévy, 1985, p. 127.
83. Vincent Monteil, *l'Islam,* Bloud et Gay, 1963, p. 29.
84. Jérôme Duhamel, *100 % Français,* illustrations de Wolinski, Belfond, 1987.
85. Cité par J.-F. Legrain, *Esprit,* novembre 1986.
86. Christian Bruschi, « Droit de la nationalité et égalité des droits », in *Questions de nationalité*, sous la direction de Smaïn Laacher, L'Harmattan, 1987, p. 42.
87. Edward Sapir, *Anthropologie,* Éditions de Minuit, p. 326.
88. Collection « Pluriel », Hachette.
89. Éditions Odile Jacob.
90. H. Le Bras, E. Todd, *op. cit.*, p. 7.
91. *Ibid.*, p. 142.
92. *Ibid.*, p. 118.
93. *Ibid.*, p. 180.
94. *Ibid.*, p. 33.
95. H. Le Bras, *op. cit.*, p. 42.
96. *Ibid.*, p. 9.
97. H. Le Bras, E. Todd, *op. cit.*, p. 20.
98. *Ibid.*, p. 243.
99. Jérôme Duhamel, *op. cit.*, p. 248.
100. *Ibid.*, p. 211.
101. *Ibid.*, p. 161, 152, 40.
102. *Ibid.*, p. 232.
103. *Ibid.*, p. 15, 29, 122, 154, 219.
104. H. Le Bras, E. Todd, *op. cit.*, p. 155.
105. In *Autres Temps*, été 1986, n° 110.
106. Cité par Louis-Jean Calvet, « Le colonialisme linguistique en France », in *les Temps modernes*, août-septembre 1973, p. 78.
107. Cité par Robert Lafont, « Sur le problème national en France », *ibid.*, p. 21.
108. Claude Hagège, *le Français et les siècles,* Éditions Odile Jacob 1987, p. 194.
109. Cité par L.-J. Calvet, *op. cit.*, p. 76.
110. C. Hagège, *op. cit.*, p. 193.
111. *Ibid.*, p. 194.
112. C. Hagège, *l'Homme de paroles,* Fayard, 1985, p. 139.
113. « L'école à la tronçonneuse », in *l'Événement du Jeudi,* 28 janvier 1988.
114. François Beautier, *Géographie de la France,* Nathan, 1987, p. 110.
115. J. Duhamel, *op. cit.,* p. 232.
116. Alain Kimmel, *Vous avez dit France ?* Hachette, 1987, p. 197.

117. *Le Monde,* 22 janvier 1988.
118. *L'État de la France,* sous la direction de J.-Y. Potel, La Découverte, 1985, p. 157.
119. *Ibid.*
120. J. Duhamel, *op. cit.*, p. 174, 177, 211, 218.
121. *Ibid.*, p. 218.
122. A. Kimmel, *op. cit.*, p. 195.
123. C. Hagège, *l'Homme...*, p. 167.
124. A. Lagarde et L. Michard, *XVIIIe siècle,* Bordas, p. 11.
125. S. Citron, *op. cit.*, p. 17.
126. Jacques Mourgeon, *les Droits de l'homme*, PUF, 1985.
127. *Ibid.*, p. 29.
128. *Ibid.*, p. 32.
129. *Hommes et Libertés,* revue de la Ligue des droits de l'homme, numéro spécial sur *Les immigrés dans la cité*, novembre 1985.
130. Ch. Bruschi, *op. cit.*, p. 30.
131. *Ibid.*
132. Bernard Plongeron, « Citoyenneté et idée de nationalité en France au XIXe siècle », in *Les droits politiques des immigrés*, revue *Études*, 1982.
133. *Ibid.*
134. Louis Sala-Molins, *le Code noir ou le Calvaire de Canaan,* p. 9.
135. *Ibid.*, p. 94, 114, 158, 173.
136. *Ibid.*, p. 48.
137. *Ibid.*, p. 226.
138. *Ibid.*, p. 49.
139. *Ibid.*, p. 84.
140. *Ibid.*, p. 254.
141. William B. Cohen, *Français et Africains, les Noirs dans le regard des Blancs, 1530-1830*, Gallimard, p. 297 et suiv.
142. *Ibid.*, p. 335, 336, 337, 338.
143. G. Noiriel, *op. cit.*
144. S. Citron, *op. cit.*, p. 51.
145. *Ibid.*, p. 7.
146. P. Chaunu, *la France*, Hachette, 1982, p. 11.
147. S. Citron, *op. cit.*
148. F. Beautier, *op. cit.*, p. 38.
149. S. Citron, *op. cit.*, p. 94.
150. R. Schor, *op. cit.*, p. 184.
151. *Ibid.*, p. 124.
152. *Hommes et Libertés, op. cit.*, p. 10.
153. *Ibid.*, p. 13.
154. R. Schor, *op. cit.*, p. 125.
155. *Ibid.*, p. 114.
156. Cité par B. Lorreyte, « Français et immigrés, des miroirs ambi-

gus », in *Manuel de psychologie interculturelle*, à paraître chez L'Harmattan. Je m'inspire, dans les pages qui suivent, des remarquables analyses de B. Lorreyte, parues dans diverses revues, notamment « L'inquiétante familiarité », in *Cahiers de sociologie économique et culturelle*, n° 5, 1986, « Conjugons le pluriel », revue *Pourquoi ?*, n° 225, mai 1987, « Insertion des immigrés et dynamique des différences », in *Éducation permanente*, n° 75, 1984.

157. Cité par B. Lorreyte, *Manuel...*
158. *Ibid.*
159. J.-P. Dupuy, « Égalité, science et racisme », in *le Débat*, novembre 1985, cité par B. Lorreyte, *op. cit.*
160. B. Lorreyte, *Manuel...*
161. *Actualités-Migrations, op. cit.*, p. 21.
162. J.-M. Belorgey a eu l'amitié de me remettre une thèse, non encore publiée, sur les questions de nationalité et de naturalisation. C'est à ce travail que j'emprunte la plupart des chiffres cités, comme les extraits des circulaires officielles que je mentionne.
163. Abdelmalek Sayad, « les Immigrés algériens et la nationalité française », in *Questions de nationalité...*, p. 140.
164. J.-M. Belorgey, *op. cit.*
165. *Ibid.*
166. *Ibid.*
167. *Ibid.*
168. *Ibid.*
169. S. Klarsfeld, « Ce ne sont que des stagiaires de la nationalité française », *le Monde*, 27 octobre 1987.
170. Commentaire sur le « rapport des sages », in *le Monde*.
171. *Questions de nationalité...*, p. 115.

TABLE

I – QUI NE VIENT PAS D'AILLEURS ?

II – SOUS LA CULTURE, LA RACE

Achevé d'imprimer en septembre 1988
sur presse CAMERON
dans les ateliers de la S.E.P.C.
à Saint-Amand-Montrond (Cher)
pour le compte des éditions Grasset
61, rue des Saints-Pères, 75006 Paris

N° d'Édition: 7727. N° d'Impression: 1877.
Dépôt légal: septembre 1988.
Imprimé en France

ISBN 2-246-32461-0